CONTES GOUTTES
de Plume Latraverse
est le deux cent dixième ouvrage
publié chez
VLB ÉDITEUR.

HOTEL

ANDRÉ
66

Plume Latraverse

Contes Gouttes

ou Le pays d'un reflet

vlb éditeur

VLB ÉDITEUR
4665, rue Berri
Montréal, Québec
H2J 2R6
Tél.: (514) 524.2019

Maquette de la couverture:
Mario Leclerc

Photos de l'intérieur:
pages 2, 16: Claude Saint-Denis
page 122: Francine Bajande

Photocomposition:
Atelier LHR

Distribution en librairies et dans les tabagies:
AGENCE DE DISTRIBUTION POPULAIRE
955, rue Amherst
Montréal, Québec
H2L 3K4
Tél. à Montréal: 523.1182
de l'extérieur: 1.800.361.4806

Dépôt légal — 1er trimestre 1987
Bibliothèque nationale du Québec
ISBN 2-89005-249-4

En guise de préface

Bien que l'aventure ait été le domaine où Séville Saint-Je transperce le plus le domaine de l'imaginaire, les personnages qu'il décrit sont loin d'être fictifs. J'ai la preuve formelle et irréfutable de l'existence du fameux détective à la tête d'Épingle et je sais pertinemment que ce dernier évolue sous plusieurs pseudonymes tels: Gorge Profonde, Native Tan, Sunshine State, etc., et l'on retrouve même sa trace au creux des sillons saugrenus de Dubois l'Antoine, le sinueux homme-sinus. Longtemps après le retour de celui-ci dans son igloo, une révolution culturelle d'un fantastique sans borne l'avait situé au cœur d'une lutte éclatante d'auto-défense de ses titres et de son portefeuille. À la rescousse des gaufres, des saints d'esprit, des écrivains ivrognes, des rockers anéantis, des peintres neurasthéniques et des cinéphiles torturés, Dubois l'Antoine, tout comme son ennemi préféré Henri le Goupil et son incomparable alter ego Ubald Lampron, a reçu du monde des zarts-zélettres une glorification lourde et lente suivie d'une béatification à long terme. Le calme revint à son point culminant, dix ans après le début des agitations, grâce au même Dubois l'Antoine qui avait su exporter vers la France les éléments les plus tentaculaires de cette rébellion. Ceux-ci s'y installèrent pour y finir leurs jours, sans toutefois y trouver la paix puisque des remords rongent encore aujourd'hui leur mort en parade. Tous connaissent la fin tragique du conte et il est inutile ici de divulguer le nom du médecin qui imagina si parcimonieusement l'implantation du système de musique parentale. C'est à cette époque que fut sacrifié, décrié, oublié puis sanctifié Dubois l'Antoine. L'auteur, Séville Saint-Je, s'éteindra pour sa part à l'âge de 128 ans et l'inspecteur Épingle, son ami de toujours, l'aidera à passer de vie à trépas en lui récitant toutes les litanies de Saint-Je, au grand complet. Mort lente et lourde qui fait que le son de son dernier râlement s'entend encore aux confins de l'inertie suprême. Une cérémonie intime permit à 845 324 didiers dodus avec des rêves turquoise dans leur culotte d'accompagner Saint-Je jusqu'à sa dernière crèche... que l'inspecteur Épingle, à la demande de l'occupant, s'est engagé à garder toujours propre, même l'hiver. Après sa mort et celle de ses personnages, les Humanisses, soumis aux pressions maladives du petit-fils du Dr. Lajoie-dans-le-sommeil, Didier Dupont-Durand, soulevèrent le peuple contre les enseignements égomobiles de Saint-Je. Sa crèche fut pillée et sa dépouille traînée à travers les rues de la ville, puis jetée dans les eaux boueuses du fleuve. De jeunes enfants repêchèrent les restes et on fit à son fantôme un procès qui condamna la presque totalité de son œuvre.

Après 20 ans de dictature humanisse, le peuple insatisfait, à qui les saints plaisirs de ses enseignements manquaient, réhabilita Saint-Je. À leur tour les Humanisses furent dénigrés, digérés et brûlés vifs, sous les regards ivres des disciples de Saint-Je. C'est après toutes ces péripéties que l'on édifia, au même endroit, à titre posthume, la fontaine que l'on connaît aujourd'hui surplombée du célèbre singe qui pisse. Ceci démontre bien que le statut de Saint-Je n'a pas été altéré par le Temps, du fait qu'il soit ainsi coulé avec une introversion contemplative assez satisfaisante, et qu'un moule est plus vite cassé qu'un mythe.

On peut y déceler, écrite par l'érosion, l'inscription suivante: «D'avoir été si fier, il n'en reste que cette chose insignifiante et terne.» Comme avait dit Saint-Je, avant d'être figé sous son monument de bière et vin: la migration vers les autres n'est-elle pas le meilleur moyen d'échapper à l'enlisement autobiochimique du regard mûr et miroitant de Narcisse? Mais je crois que tout cela laisse aujourd'hui une froideur de pierre fendue dans son cœur désabusé, lavé de tout ambition. En fait, je suis sûr que tout ça l'emmerde profondément et qu'il n'y trouve rien à chercher...

Gorge Profonde «Native Tan» Trembly

P.S. Ne mettez surtout pas ça dans votre bouche. Vous allez vous rendre malade!

«Contes Gouttes se glisse entre ce que le monde sont et ce que le monde fond.»

Henri le Goupil

... et ce que le monde raconte.

PREMIÈRE PARTIE

Sobres sauts

(cartes postales)

... aux autres

Heineken
"33"

1. CHAMBRE 31

«Alors, Séville, ça va la 31?» me dit Henri avec son sens occulte du 13 inversé dans les miroirs du rêve des 13 portes... «Tu seras plus tranquille, si tu veux écrire...»

En effet, la 31, avec fenêtre sur les toits arrière, est plus calme (moi y étant seul) que la 32 avec sa fenêtre sur la rue avant (moi y étant avec de mauvais compagnons...) — «Tu sais? c'est la chambre qu'occupait une vieille Américaine à l'époque où Léo Ferré vivait à côté, rue Dauphine... quand un jour sa guenon Pépée s'échappa de son appartement et fila par les toits... pour s'introduire bêtement dans ta chambre par la fenêtre ouverte... à la grande stupéfaction de la vieille Américaine aux grandes boucles d'oreille, qui n'en est jamais revenue...»

«Tiens! tiens!» nota la main d'Edgar Poe, en sneakant sur la rue Morgue.

2. LA 32

La 32, par contre (ou plutôt, par devant), chambre double juchée au 5e étage de l'hôtel, dont la fenêtre donne directement sur la rue Saint-André-des-Autres, a été, de par sa dimension, le théâtre de moultes folies d'un tas de gens, folies auxquelles les acteurs-pensionnaires de la troupe dite «Les Mauvais Compagnons» ne sont pas étrangers. C'est à la fois la chambre communale, la salle de réunion, la buvette maison, le nid de mouettes, le centre d'accueil et l'auberge folle où on ne craint pas de déranger le voisin d'en haut car il n'y en a pas. Étant donné son altitude, les vieux Américains n'osent pas (ou plus) s'y aventurer, car il n'y a pas d'ascenseur. Ce qui fait que lorsque toute la joyeuse et comédienne bande de compagnons s'y retrouve (deux d'entre eux occupant la 34), on peut dire que tout l'étage est sous contrôle.

3. PREMIÈRES GOUTTES

Partons donc du principe que la 32 est plus bruyante que la 31 et plus vivante aussi. Elle donne directement sur cette rue où des milliers de personnes déambulent chaque jour. Les badauds, les crapauds, les clodos, les touristes, les termites et les bagnoles se partagent l'étroite petite avenue avec le glissement naturel, le flux, le flot, le débit, la souplesse, la couleur, le métissage et l'instinct fluorescent d'une fourmilière. Vu d'en haut, l'effet est très protozoaire... surtout, peut-être à cause du Nazet: le chic établissement à bière (dans le sens un peu funéraire du terme) planté directement devant l'hôtel, donc au-dessous de notre 32. Quand nous buvons au Nazet, rien ne nous dérange... Tout peut arriver! Mais quand on veut dormir, du haut de notre fenêtre ouverte, on trouve parfois le bas un peu bruyant... Alors, on fait tomber la pluie. Histoire d'arroser ça, un peu, en rigolant.

Quelques verres d'eau bien balancés et voici les têtes qui se lèvent vers le ciel, tandis que 23 paires d'yeux cherchent la fuite. En bons anges espiègles, c'est le moment que nous choisissons pour descendre en vitesse prendre quelques verres de bière (bien balancés aussi) au Nazet, afin de consolider nos alibis et faire un peu de bruit, nous-mêmes. On y discute innocemment de la météo avec nos victimes. «Après la pluie, le bon temps!»

4. La 34

Communément appellée «La roulotte à Poulet-Chasseur», la 34 est, tout comme la 32, l'heureux jumelage de deux chambrettes indépendantes mais elle est plus petite, plus poétique, et également plus basse. C'est ce dernier épithète qui lui a d'ailleurs valu d'être surnommée «la Roulotte», car Poulet-Chasseur devait toujours s'y introduire en rampant pour ne pas se péter le crâne sur son plafond bombé. Voilà pourquoi il dut se résigner à vivre provisoirement à quatre pattes pendant tout son séjour, tandis que son «room-mate», alias Vécé, occupait poétiquement un grabat dans la garde-robe, quitte à aller par la suite se dégourdir les jambes dans la 32 où on n'avait pas besoin de boire pour dormir, mais où on le faisait quand même par solidarité...

5. LE SUPPLICE DE LA GOUTTE

«Encore une p'tite goutte?» me verse Saint-Patrick avant même d'avoir eu le temps de terminer sa phrase...

Et c'est toujours comme ça! À chaque soir suffit sa goutte (qui ne suffit jamais par ailleurs). C'est le matin qui est un peu dur, quand tu te lèves avec des fléchettes dans la tête. Mais comment résister à cette goutte de l'amitié? celle qui fait déborder la vase pour ainsi dire... Que ce soit au Nazet, au Chy, à la Crêperie, ou dans le somptueux hall de l'hôtel, y a toujours un brin de conversation à arroser. C'est l'heure que j'aime le plus, surtout que je n'ai pas de montre et encore moins de cadran. Les veilleurs de nuit me connaissent bien et ne dédaignent pas d'égoutter leurs salades en ma compagnie. On alimente le moulin et on oublie la mesure.

Je ne me rappelle plus combien de fois je suis descendu à cet hôtel (monté à cet hôtel, devrais-je dire) et d'ailleurs j'en ai rien à foutre. Les pensionnaires restent, s'en vont, déménagent, meurent, divorcent comme partout ailleurs. C'est le robinet qui coule. Le débit de paroles s'enfle dans la plomberie des heures tardives et l'accent ne compte plus. C'est le supplice de la goutte qui délie les langues et fait parler les plus silencieux, comme Mario le Chilien. Le vin triste n'est pas admis au Saint-André-des-Autres. Henri, le patron, choisit la clientèle et ne se gêne pas d'afficher «complet». Il règne à bord une atmosphère d'équipage d'appellation contrôlée. Saint-André-des-Autres veille sur nous.

6. UNE GOUTTE DE PARFUM «CAMOUFLAGE»

Le jour, le Saint-André est une vitrine. Saint-André lui-même se déguise en touriste et remplit son hôtel de mannequins. À quoi ça sert d'avoir de beaux souliers avec toute la marde de chien qui jonche la rue? Bien sûr, ils ont inventé les canisettes, chiraciennes, ramasse-caca (sortes d'aspirateurs-motocyclettes pour siphonner le chié) mais, à quand l'aspirateur à chien, un coup parti?

J'ai jamais compris de toute façon pourquoi les Parisiens ont tant de chiens. Pour leur faire vivre une vie de chien sans doute?... Tenez! y a le chien du Ticon, un doberman stupide qui passe sa vie sous le comptoir, ou dans une bagnole plus petite que lui — pas étonnant qu'il ait la queue coupée! (j'ai pas vu l'appartement). Quand nous le regardions chier avec notre haute vue du 5e étage, les pattes écartillées et les reins cambrés, on lui trouvait des allures mi-Goldorak, mi-Diane Dufresne. Quel déguisement!

Heureusement que la mode existe le jour, car la nuit les mannequins dorment et Saint-André peut alors apparaître sous son vrai jour. C'est lui-même, béatifiant André, qui nous met au parfum. Une goutte par-ci, une goutte par-là, et nous voilà tous en odeur de sainteté. Goupillonnés, lavés et absous. Ondée nocturne qui fait oublier que les Français ont inventé le parfum parce qu'ils ne se lavaient pas. «Quelques gouttes suffisent pour maintenir cet homme à une poutrelle d'acier», soutient la Crazy Glue. Les pieds dans le tas.

7. CRAZY GLOU-GLOU

Glou-glou veut dire, en indien: celui qui boit. Par analogie, les crazy-glous sont les Anglais qui stickent au Nazet. Et la colle est tellement forte qu'elle les rend complètement nazes tout en les engluant sur place pour des siècles. Adhérents et odorants...

Y a d'abord les crazy-glous qui grafignent leur guitare dans le métro et viennent ensuite se grafigner l'estomac au Nazet. D'ailleurs le patron sert toujours son poulet avec une paire de pinces et un marteau, car dans leur pays, ça ferme tellement de bonne heure qu'il ne demandent pas mieux que de venir s'éventrer ici. Pas étonnant qu'ils fassent de la musique pour tenter de s'en échapper! C'est là le sort des glou-glou: essayer d'éteindre le grand feu qui les brûle d'une soif insatiable. La seule différence consiste en ce que les crazy glou-glou sont toujours collés là, sauf le dimanche (quand le patron va à la messe). Imaginez leur désarroi: le Nazet is closed on Sunday. That's part of the week! La nuit, tous les glou-glou sont flous ce qui rend le climat beaucoup plus fluide. Une certaine transparence apparaît alors dans l'infernale boucane de cigarette.

De toute façon, tout le monde parle la même langue chez les glou-glou. C'est le côté international de l'affaire! Qu'ils soient Chiliens, Italiens, Hollandais... ils tournent tous leurs langues sept fois dans leurs verres avant de parler. Y a plus de barrière linguistique chez les glou-glou à une certaine heure. Glou glou glou glou glou glou... les glou-glou chiliens picolent dans le hall, arrivent un glou-glou mexicain, un glou-glou algérien. On parle tous la même langue quand on rigole. On trafique mieux son exil sur un comptoir que dans une ambassade. Personnellement, Séville Saint-Je, j'avoue bien aimer certains bars où mes errances me conduisent souvent... Ils m'aident même à composer mes futurs personnages. J'ai l'impression de palper un radeau pneumatique qui me guidera peut-être et m'amènera à découvrir des éléments, des entrefilets d'écriture. Glou! Glou! On verra. Mais auparavant, deux choses, deux questions.

Premièrement: Qu'est-ce qui porte une main à

écrire? qu'est-ce qui la soulève et l'emporte sur la feuille devant elle, en frémissant?

Deuxièmement: À quoi ça sert?

8. 102 MARCHES MOINS UNE, PLUS UNE

Cent deux zosties de belles marches à monter pour se hisser jusqu'au nid du glou-glou. Pas besoin de faire du jogging ni de l'escalade: les escaliers du Saint-André et les marches à pied suffisent. On dirait que tout le monde que je connais à Paris demeure toujours au cinquième étage d'un immeuble. Rappelons-nous, quand nous vivions chez Babache, comment la montée du corps tenait parfois du Golgotha. Les soirs de grande saoulerie, ces escaliers furent le théâtre des plus belles arabesques mondaines. Babache ne collectionne que les verres des divers bistros où son insu le suit... dans les dédales avoisinant l'église Saint-Épingle, appelée ainsi depuis que l'inspecteur Épingle entreprit d'y sauter la grille pointue, soulevé par les pans de sa gabardine. Vol au-dessus du nid du glou-glou... mais quelle précision à l'atterrissage! Réussir à travers tant d'acrobaties à ne pas casser les verres subtilisés systématiquement à gauche et à droite, faut le faire!

Verre cassé n'amasse pas goutte. Observons plutôt Gros-Grain, ce trapu mammifère au sang chaud, monter les six étages de la rue Servandoni, en soufflant et en récitant un chapelet de litanies. Un arrêt à chaque étage! Quelques prières... Il est long le chemin du ciel. Une p'tite goutte pour la route et on recouvre tout son courage... La goutte du marcheur, tout est là! Debout au zinc. «Croque-macadam et œuf-à-cheval», voilà la devise du bon glou-glou! Ce qui ne veut pas dire que Montréal manque d'escaliers... Non! car j'ai moi-même souvent marché et remarché, à Montréal, entre la Taverne Laperrière et le Buffet Delorimier, par exemple, en compagnie de mon ami Loco... Il faut dire, cependant, que ces deux merveilleux établissements se trouvent situés un en face de l'autre. Heureusement pour Loco, et ses cent quelques kilos, qu'il n'y a pas cent deux marches à gravir en plus!

9. L'ACCENT TUÉ

L'accent, c'est pas dans la gorge des uns, c'est dans l'oreille des autres! L'accent ne tombe pas dans l'oreille d'un sourd quand il frôle la trompe d'un glou-glou. Évidemment, il y a ces garçons de café, du style aquarium super galvanisé, programmés à ne pas avoir le temps de comprendre de toute façon, et ces petits débits, un peu plus en coulisses, qui constituent un monde où la goutte coule d'une façon plus familière. Moi qui aime bien rigoler, je préfère ces derniers où les figurants peuvent se marrer du même coup, à travers mon accent. Ce qu'ils ne savent pas, c'est que c'est eux qui ont l'accent. Ils peuvent bien rire!... et moi aussi d'ailleurs. Rigole qui court nage vers la mer... Petite goutte nagera bien pourvu que Bacchus prête encore vie à ces rares petites îles, lesquelles cependant tendent de plus en plus à disparaître, avalées par la mer elle-même. La marée monte? J'achète! Faut-il pour autant sous-titrer notre cinéma québécois pour le vendre en France? Non! Il faut le traduire en glou-glou. C'est simple! Ce que les Français ne comprennent pas de notre accent provient du fait que la sonorité ne sort pas du même endroit. Dites-le avec les tempes! En plus, les francophones d'origine nord-américaine sont toujours portés à mettre un *z* sifflant après les *t* ou les *d*. Exemple: lundzi, mardzi, mercredzi, jeudzi, vendredzi, samedzi et ??? le jour où le Nazet est fermé, c'est-à-dire? Dzzzzzimanche. Sachez donc que ce *z* est le même que celui utilisé par les Français quand ils parlent anglais: «We are ze world we are ze children.» De plus, apprenez que ces derniers possèdent deux glandes, lovées dans la gorge, à l'accotement du menton et du haut cou, lesquelles glandes, lorsqu'elles se gonflent d'impatience, par exemple, émettent des sons d'un timbre plutôt aigu... se terminant habituellement par le mot: MERDE! Les Québécois, par contre, ont eux-mêmes avalé leurs glandes depuis longtemps. Ils parlent plus bas, plus creux, plus gras, un langage gastrique, qu'ils ont peine à comprendre eux-mêmes. Ce que la France tient du cerveau, le Québec le tient du ventre...

10. LA PIPE DU MATIN N'ARRÊTE PAS LE PÈLERIN

«Dieu est partout et ça m'emmerde!» me dit Felippe, le veilleur portugais. Heureusement que j'avais vu sa femme et son gosse lui faire le coup de «la famille dans le travail», quelques heures plus tôt... (C'est-à-dire que... chez moi, au Portugal...) Les exilés d'en face sont plus joyeux. J'en arrive. Ils m'ont encore fait boire à mon insu; je retenais le câble mais le bateau s'éloigne déjà... Le bateau ivre à Rimbaud, sans doute? Je le lui rendrai demain matin. «La pipe du matin n'arrête pas le pèlerin!» dirait Carron, le poète à la longue chemise. Il est 10h16 du soir cependant, et je redeviens un autre. C'est l'heure où Carron grimpe sur une chaise pour gueuler d'amour en public. Il faut parler lentement, comme on boit, comme on mastique, comme on digère... Mais on parle toujours vite. D'ailleurs le mot bistro ne vient-il pas de là? Fin XIXe, début XXe? Bistro: mot d'origine russe qui veut dire «VITE!» Hot-dog: mot d'origine française interprété caninement par des Américains qui n'arrivaient pas à dire *andouille*. («We are ze world!!!»)

J'étais attablé à la «Crêperie du sirop d'arabe», comme je vous le disais avant que vous ne m'interrompassiez bêtement, et je sentis, sous mon épiderme, comme une bête qui voulait cracher. Je me mis alors à griffonner innocemment quelques lignes pour détourner mon attention du décor, lorsque le joyeux garçon me réveilla en disant: «Hé Séville! tu ris tout seul!!!

— De quel pays es-tu?

— Je suis du pays où ma mère m'a pendu!»

Je ne sais pas leurs noms à ces joyeux garçonnets mais est-ce important? Peut-être ça ne serait plus pareil si on se connaissait plus? Ça serait sans goutte moins spontané, plus acquis... Pire peut-être bien. Mieux peut-être mal. On demeure plus étrange quand on est étranger et on a tous le mal du pays. Le seul rapprochement possible c'est: que c'est mieux quand on ne sait pas trop lequel. Minuit. Je mets ma peau de nuit et je m'apprête à errer dans la bête. Curieux déclic! Les oursins dans la tête, se crée alors la recherche d'un terrain propice à la germination d'un roman fictif et à l'élaboration d'une idée de fou concernant l'écriture d'une série de petits «j'sais pas trop quoi!» À la recherche de tout et de rien, en fait...

11. LA LANGUE NOIRE

La langue noire comme l'âme! nègre de gros rouge qui tache... Les lèvres mauves et les mots qui coulent comme de l'encre. Blues foncés. Lacrima Christi. Fouetté de sang. Fou de rouge.

La foule se masse à la station de métro Strasbourg-Saint-Denis. Ça craint, comme on dit. Les flics tiennent par terre un gars qui hurle son dernier cri. La foule se presse, se masse, se rentre dedans comme des lombrics.

Le flic crie: «Circulez!» en agitant sa bonbonne de gaz lacrymogène. Pschitt! Pschitt!! Les larmes s'alarment. Le gars s'agite et, aussitôt qu'il est menotté et relevé, il fonce vers le mur le plus proche et s'y martèle la noix de grands toc toc. Influence du film *Les Ripoux* sur le cerveau du Français moyen? On remet la salade dans le panier. Salade aux noix.

Pour ma part je n'ai encore rien écrit, pour la bonne et simple raison que je ne sais pas quoi et comment l'écrire. Les intrigues ne m'effleurent pas le moindrement. La situation? En ferais-je un jour quelque chose? Une base de griffonnage? Est-ce assez pour suggérer la trame d'un conte? Certes non! Mais je me dis: «Séville! c'est en écrivant qu'on finit par écrire. Fais des essais! Fais de petites études!... au moins pour cerner une façon d'écrire sur des faits, gestes et dires quelconques... Entoure les personnages qui t'entourent! Laisse-les jouer le jeu et observe!»

«Car, déclarait le colonel, il y en a bien quelques-uns qui font un peu de peinture, mais en général, ils sont tous sur l'aide sociale!»

«Georges, où j'chus?»

12. MOURIR À PETIT FEU ET S'ÉTEINDRE À PETITES GOUTTES

Le hurleur fou en patins à roulettes descend la côte de la rue Mouffetard en émettant des grognements feutrés. Il part, il revient, pour finalement s'évanouir dans l'oubli de la foule. C'est fou ce qu'on peut être seul dans une grande ville pleine de miroirs. Y a de quoi réfléchir un tas de visions d'exils à travers l'extrême fragilité des rapports humains. Le hasard des rencontres. Les tissus organiques tendent désespérément leurs mains. La foule passe. Alors les cellules se meurent à l'intérieur de leurs cellules. La cellule actuelle semble être la chambre d'hôtel où j'ai trois mois à tirer, mentalement emprisonné. Finirais-je moi aussi sur des patins à roulettes? On quitte une cellule parce qu'on s'y meurt d'ennui et on s'en va dans une autre pour s'ennuyer un peu de ce qu'on laisse dans la première. C'est ce qui tracassait le plus Monsieur Ernest, client en transit au Saint-André. C'était un marin de Détroit habitué à bourlinguer, espèce de tortue qui portait sa maison sur son dos, comme une croix. Il expliquait, avec son accent à la Daniel Lazare, qu'il bougeait et voguait pour ne pas mourir. En tout cas, il le disait dans le sens profond de: vaut-il mieux mourir de cirrhose que d'angoisse et d'ennui? Mais que peut faire d'autre un vieux marin qui a sans cesse vécu dans les hauts et les bas de l'océane liberté? Il ne peut quand même pas se recycler en marin d'eau douce, viârge! Alors que fait-il? Il s'impose des césures et des risques pour ne pas perdre l'habitude du danger, du qui-vive et surtout de la survie. Le bain de foule le noie peut-être? «C'est loin ton Wisconsin natal, Ernest? — Shut up and swim!» Y a ceux qui restent à l'oasis et y a les marcheurs du désert. Qui ont soif. Et qui marchent au hasard, hagards dans le capharnaüm, la langue longue de tous les accents de la terre, dans l'espoir d'une dernière goutte...

13. MOURIR DE SOIF

C'est quand même pas des idées déliriumisées? Tout le monde picole... comme des gouttes dans le dalot d'un sablier. La minuterie sérum serrée. Tout le monde picole, même ceux qui ne boivent pas. Ceux-là picolent des prières, ou autres choses. Dans la grande traversée du désert qui balaie le chemin de Damas jusqu'à en crucifier le mirage, Henri n'a-t-il pas dit, la gorge râpeuse, raclée par le sable des temps... Henri n'a-t-il pas dit: «Père, Père, j'ai soif»? Crucifié là, son nom écrit au-dessus de sa tête, avec une faute d'orthographe en plus. Pas question de recommencer et de se clouer à un autre endroit! Allons donc! braves gens... Depuis, la gorge sèche, Henri erre dans les rues, glandes avides d'un flot de paroles. Il veut à tout prix s'humecter au grand fleuve de monde mais, y a du monde!!! Y a du monde!!! Et pourtant l'esprit est désert. «Vous voulez être désirés mais vous ne désirez jamais, dit Henri... Et quand vous marchez, vous ne voyez que l'intérieur de votre crâne.»

C'est dur d'amalgamer la cérébralité célèbre chronique avec les besoins du ventre. Je sais bien que Jack Kerouac, dans sa quête personnelle, a écrit quelques épisodes dans l'hôtel d'à côté, rue Gît-le-Cœur. Je l'imagine portant son fardeau d'incompréhension et de solitude et allant se réfugier dans ses mots pour se clouer le bec. Lui aussi, avait été marin. Et il est mort, noyé dans l'amer, saoul sa jupe. Complètement asséché, desséché par l'alcool, revomissant le vin qu'il avait bu toute sa vie et le changeant en sang, au moment crucial. Ultime miracle de contorsions. Incapable d'avaler le succès.

«On n'était pas du même bord
mais on cherchait le même bar.»

14. HENRI!!! TOI QUI ERRES DANS LA BÊTE, VÊTU DE PEAUX DE NUIT

Henri connaissait bien l'élégant docteur Jekyll qui passait galamment devant son petit bureau dans le hall de l'hôtel. Le docteur arrivait toujours pour l'ouverture du Salon du Melon anglais et repartait à la nuit tombée sous la forme d'un certain monsieur Hyde, s'esbaudissant lui-même d'une assez étrange façon. Et Henri me décrivait, l'après-midi, tous les docteurs Jekyll qu'il avait connus à travers les âges. Quand on travaille dans un hôtel, forcément, on finit par y saisir divers aspects transparents de cette bête curieuse qu'est la nature humaine. «J'en ai connu un qui entrait en lainage et ressortait en cuir! — Un autre montait en hippopotame et redescendait en papillon pour remonter très tard en chenille.» Le comportement des gens risquerait de figer dans la sauce si ceux-ci se refusaient au philtre magique qui transforme leur perception des choses. Et si la métamorphose est trop sage, elle coagule dans sa peur. Le virus du changement nous guette. C'est un microbe de naissance. Un futur antérieur. Un yeû et un yâb qui se déchirent d'un pôle à l'autre. Un éclair de nuit électroculte une flaque de jour et la masse se durcit. La structure se modèle. Blouson de glaise. Bottes de limon. Ventre creux et dents longues. Soif intense et hantise velue. Oh

Henry, le roi du chocolat, sort de son emballage, tiraillé par les pulsions et les impulsions des grandes puissances. Happé par le conflit. Poussé par le progrès. Crucifié par les grands horizons. Évalué par l'évolution.

15. HENRI SE MEUH!!!

Henri! Henri! Toute ma suspicion affective se meut devant la coïncidence qui te fait porter le même prénom que ce fainéant, cet égoïste et ce propre à rien d'Henry Miller qui n'est malheureusement pas parmi nous ce soir... pour des raisons de santé, assure-t-on. Tu te questionnes toujours, cher Henri, sur la différence naturelle entre Paris et Montréal et je te réponds aujourd'hui que Montréal manque de chiens pour établir des contacts dans les méandres de sa collection humaine. Comprends-tu? Henri me coupa le fil en s'épivardant dans mon esprit sous la forme d'un grand flanc mou nord-américain se tenant en haleine dans les trous-de-gruyère du labyrinthe cérébral européen. Se mouvoir, avec les yeux de sa mémoire, dans l'espace mental de la folie des rues comme dans les circuits et les ramifications d'un cerveau. Si les rues sont carrées, t'as la tête carrée. Comprends-tu, Henri? On n'est pas des vaches pour marcher droit de l'entonnoir vers l'abattoir. On veut bien marcher croche un peu. S'accrocher. S'attarder à droite, à gauche... hors des trajets immédiats de la parade des modes, vers les sentiers de l'éparpillement. Je voulions ben manger du beû mais avec un coup de rouge parce que j'avions un côté taureau et que j'en foncions tranquillement mais sûrement, et sans retour possible. Tellement, que j'en perdions la mémoire de savoir pourquoi j'enfonçions comme ça.

16. À L'HEURE DU SOURIRE FACILE

Le sourire facile. Pas le forcé! Celui qui surnaturellement t'étire la commissure des lèvres et peut même à la longue te cramper les muscles des joues. Satanique apparition de Saint-André, frissonnant dans la nuit, qui se couvre depuis une heure et quart, environ. Que fera Henri ce soir? Ira-t-il manger au Restaurant-des-Stars que les manutentionnaires de galeries fréquentent depuis Napoléon VIII? Ou ira-t-il rue de Seine, à l'épicerie-cafétéria des Italiens, fréquentée par les égorgeurs de poules? Pour l'instant, il termine son Muscadet amorcé avec l'ami Maurice en fin d'après-midi et décide soudainement de fermer boutique. La porte est ouverte. Tout peut arriver. Sauf un tremblement de terre, j'espère. Le père Sévérance a dit qu'il y en avait eu un à Tours, aujourd'hui: trois degrés, en mémoire de Simone Signoret, morte hier.

17. SI PAR HASARD... SU'L PONT DES CHARS (griffonnage sur un napperon)

C'est le rush after supper au Restaurant-des-Stars! «Si par hasard su'l pont des chars... — Je n'veux pas conduire à Paris, j'ai d'la peine à marcher. Les embouteillages, je les défais chez moi et les bouchons je les fais sauter... C'est dingue ici le trafic!» glisse un jeune poète à foulard de soie, assis à côté de mon corps. Quand le vin est tiré, il faut le boire! Finissons la bouteille! L'atmosphère est détendue et on l'arrose pour que la tige pousse. Au risque de rien, rien, rien, le vieux sbire-scribe se laisse aller à ses grandes confidences. C'est parti, Henri! En chassant le désarroi. «Si par hasard, su'l pont des chars...»

«Bonsoir, ma bonne dame, je suis votre cousin canadien et votre nouveau voisin et client pour quelques mois. J'aime bien l'envergure de vos napperons!»

Aujourd'hui, n'ai rien pondu...

18. ENTRE-DEUX

Saint-Laurent m'a frappé! Saint-Laurent, c'est celui qui ouvre la valve derrière le zinc, et le frère Manuel-les-œufs, c'est celui qui distribue aux tables, la bonne nouvelle. Henri! Ô Henri! Ton nom me suit. J'ai eu hier la plus éblouissante conversation de ma vie d'aveugle avec un sourd-muet également scellé du prénom d'Henri. Conversation sur bouts de papier... J'en ai d'ailleurs plein les poches, ce matin. Henri le Corse, j'adore ta conversation! Saint-Laurent nous abreuve de son houblon et le frère Manuel nous inonde de ses sourires. Pour une fois, Henri, je ne suis pas un étranger dont on ne comprend pas l'accent. Je suis au carrefour des visions et des réflexions, sur une pointe de rue à cinq coins où les œufs au plat sont servis dignement. J'aime bien le jour, quand l'espion en moi y observe les angles de la lumière par rapport à la crochitude des immeubles à six étages et l'asymétrie des rues. La nuit se taille en général plus lentement. Le gros Claude, plongeur de jour, n'est pas là pour faire chier le peuple et lui donner envie de lui crisser la tête dans son hostie de lavabo. Glou... Glou. Je cause muet avec le Corse lorsque soudainement, il me traîne dehors où un gars vient justement de manger une plantureuse volée. Le sang lui crie dans toute la face et Henri m'explique, par gestes, que c'est justement de cette manière qu'il a lui-même perdu la voix, il y a à peine deux ans. Soudain, le grand Miguel arrive avec son Anglaise et la conversation change de bar...

19. RAVISSEMENT

La tête pleine d'images claires et floues, impressionné par Monet et ses couleurs, le jour s'essuie lui-même. Il fait trop beau et trop chaud pour un francophone des neiges. Je fonds à petites gouttes. Ugène sue... J'aime mieux la nuit. Mon regard s'avance alors dans ma tête et la fend en deux. Au petit bonheur la chance, mon fantôme se balade à Passy et m'insuffle à travers Paris en remontant le courant de la Seine comme s'il voulait la boire à mesure qu'elle se sauve de son inévitable noyade. Les mamelles de la mer la reprendront au bout de son bras. La tour Eiffel est aussi écartillée que moi lorsque j'enjambe l'armée de bagnoles qui me chargent au pont d'Iena. Y a de quoi donner soif et tirer la langue! Allez donc prendre des notes en plein embouteillage! Je préfère de loin le désembouteillage nocturne quand je suis tranquillement habité par mes gouttes à gouttes. Visite publique des égouts d'un Paris qui avale. Heureusement, car l'emballage du Pont Neuf ne m'emballe pas plus que ça... et je ne compte pas mes pas en pesant mes mots, d'ouest en est, dos à Rouen, léger comme une feuille dont le vent soulève la jupe. Enlevé sous hypnose par la force des choses, oisivement... C'est l'insu qui fly sur son tapis pour me déposer chez les vilains, à l'heure païenne. Si Simone s'ignorait... et bien moi, je m'ignore un peu, beaucoup.

20. ÉTHYLIQUE BLUES

Faut-il enlever le pansement subventionnel pour que la plaie se résorbe à l'air libre? Un nébuleux cafard se profile sur les murs de la chambre, maintenant. Sa menue silhouette me fait filer tout p'tit... et je tremble un peu. Pupilles dilatées, des yeux me regardent vers le large. Me dédouble-je? ou est-ce mon âme qui frissonne? Une fragile torpeur glisse sous mes ponts. J'aperçois une main, la mienne, est-ce bien la mienne? qui agrippe une plume et se met bêtement à écrire: Dracula, un jeu pour adultes consumants, idéal pour illuminés. Dracula ne fonctionne que la nuit quand toutes les virginités folles l'envahissent. Assoiffé, on le voit se cramponner à sa coupe, en mordant son tube, avec un léger frémissement. Parviendra-t-il à s'oublier? Il a la mémoire courte et les dents longues. Il ne va pas bien du tout. Sa tête tourne dans le sens contraire de la montre. Il s'éparpille et raconte toujours les mêmes immanquables mensonges. Il est mûr pour le pieu. Écartelé face à son crucifix (optionnel: vient avec housse de cuir noir, doublée en amiante). Cloué par ses propres canines au cœur même de sa blessure. Baignant dans son sang à petites gouttes. À petits coups d'aiguille. Il se bat contre ses propres anti-corps dans une chiasse de bactéries et une diarrhée de mots. Il a peur de l'eau du robinet et il est tout seul avec sa fièvre. Il en est tout reviré et bascule dans l'absence. Dracula, tout comme Jésus, n'est cependant pas responsable des effets secondaires occasionnés par l'ambiguïté de son jeu. La perception en est laissée à chacun, à l'envers comme à l'endroit. Je reviens à moi. Main lourde sur la table. Je relis la feuille. «Allons Séville! t'es dans les chiures de mouche!» Je secoue ma serpillière capillaire, je chiffone le tout et lance Dracula dans la poubelle en sautant par la fenêtre. «Il est grand temps que je me ferme la craque!» se dit le mur de la chambre en s'endormant entre les phrases qui passaient et repassaient entre ses oreilles.

21. BLACK OUT!

Le vin venait du Rhône, à même sa côte, comme Ève d'Adam. Des images des années trente se bousculaient dans son tréfonds. Poussé par son rêve, Henri entra au Ticon. L'atmosphère y était passablement élastique, chacun en ayant plein le cul d'avoir couraillé tout le jour comme des cons. La nuit porte conseil mais Henri avait la grâce. Les clients étaient tous plongés dans leurs rêveries communicatives, dépliant ou repliant leurs petits tapis volants. La nuit retrouvait sa grande gueule, celle qu'on asperge pour mieux mouiller son vide. Absorbé par ses absences, Henri laissa se dérouler la bobine de ses songes et fixa le cadre sur Gros-Grain au moment où celui-ci masturbait un chien, rue Grégoire-de-Tours, histoire de le soulager un peu. Évidemment, les chiens, qui adoraient cela, lui collaient constamment aux pattes d'autant plus que Gros-Grain traînait derrière lui une odeur intimement reliée à sa hantise des toilettes turques.

22. COUPÉ!

Henri s'éveilla, serra doucement son «joli Gaston gonflable» et la caméra se remit en marche. Il se retrouva, Place-Pigalle, au théâtre de Dix heures où chaque soir, à la même heure, il allait faire une folle de lui sur scène. Mais ce soir, Henri avait l'âge du Christ: 33 ans. Il allongea ses longs bras et salua chaleureusement les fidèles tandis qu'on lui apportait un magnifique gâteau. Touchante performance! Chaleur de bougies en pays étranger. La masse de spectateurs et d'amis, une fois le spectacle terminé, envahit d'elle-même le hall d'entrée afin d'y poursuivre la fête. On coupe le gâteau, on dégaine le champagne et le bla-bla s'installe bien à son aise, le groupe se massant, se muant, se déplaçant, se fendant dans ce petit espace situé entre les mam'zelles Pigalle et le MacDonald adjacent. Henri, Babache et le joli Gaston sont déjà sur le trottoir, au présent, sans s'en être vraiment aperçu. Les blagues et les hallucinations font bon ménage. Et voilà Babache qui a, tout à coup, trois mains. Mais enfin trois mains? Il ne peut tenir son livre avec deux mains et en avoir une autre qui fouille dans la poche de son blouson??? Henri traverse l'écran, pousse Babache et saute à la gorge du pickpocket qui voulait voler son ami, par derrière. L'Arabe fait de grands signes pour montrer que par hasard le portefeuille se trouve par terre et non dans sa main. Henri lui câlisserait bien un hostie de coup de pied dans le cul-ou-dans-la-face-c'est-pareil, mais il laisse tomber lui aussi. Est-ce que c'est parce qu'il se méfie de la peau sombre? la sienne??? La femme de chambre entra pour faire le lit, au même moment. Lourde et lente, belle et polonaise, elle regonfla le joli Gaston et le pelotonna sous les couvertures, doucement.

Troublés, les gribouillages s'arrêtèrent un moment et la chaise craqua.

23. EN CANNES

Henri s'enfila un p'tit Muscadet et franchit un rideau de vendeurs de cochonneries: des sacoches en crocodile, des langues de serpent et des moineaux-à-spring. Il ne savait plus du tout où il en était. Les yeux verts de la Polonaise suivaient ses gestes. Il s'installa dans ses réflexions pour en trouver le fil. C'est ainsi qu'il se retrouva en compagnie de Babache, d'Annafolle et du docteur Lajoie-dans-le-sommeil, en route pour Cannes, où Annafolle devait aller manger des araignées en public en frottant ses verrues. Qui vivru verru! Ils en profitèrent pour s'offrir quelques consommations promotionnelles car n'étaient-ils pas là pour ça? Perpétuellement défoncés, grâce à Maurice, ils errèrent ainsi de bistros en restos pendant quatre jours et quarante nuits. Le docteur Lajoie-dans-le-sommeil s'endormait toujours dans son assiette et Annafolle, sa pupille, ne put faire autrement que d'aller la fermer sensiblement au même moment. Babache enfourcha la balance. Il pesait un quintal. Cent kilos de rock'n roll et d'apéritifs prolongés. Il en noua trois phlébites coup sur coup. Jambe sur jambe sur jambe. Heureusement, les soins du docteur Lajoie-dans-le-sommeil et le réconfort des joyeux lurons de copains le remirent bientôt sur patte et la trotte continua. La trotte le mena si loin qu'il ne pèse aujourd'hui que soixante-huit kilos et qu'il ne boit plus... que du vin. «C'était la belle époque! Ahhh! Jadis!» blague-t-il chaque fois à l'oreille d'Henri. Il faut les entendre quand ils se racontent, certains soirs de soupers de famille éthérés, qu'ils ne sont pas des alcooliques (ce qui, pour eux, implique un sens maladif à la goutte), mais plutôt de joyeux ivrognes. Ce qui les dégage aussitôt de toute responsabilité et leur donne bonne conscience, et surtout, bon courage, pour continuer...

24. CASSE-TÊTE

Toutes les pièces du casse-tête se mettent en scène et en place dans la mienne. J'écris le jour ce que je bois la nuit. À l'heure où la parole est facile. J'oublie à mesure. J'écris partout. Dans les cafés, dans les bistros, à l'hôtel, dans le métro, les idées bouillonnent. Je deviens carrément transparent (c'est-à-dire qu'il y a toujours un coin, un côté d'épaule qui sort). Je commence à m'inventer plusieurs visages amicaux, ici et là. La vitesse de croisière est donnée. Un signe de la main à un indigène, un clin d'œil à l'autre, poignée de main à droite, conversation à gauche. «Il vote à droite et il cause à gauche...» Me voilà devenu une pute de l'amitié! Y a même le vieux patriache belge qui me salue au passage du Nazet. Je suis le soldat inconnu, ou peut-être bien son beau-frère ou son double? L'inspiration ne vient toujours pas mais elle me suit, me poursuit et me darde continuellement de son aiguillon. Des Québécois m'ont reconnu dans le métro. Je est un autre... Aussitôt, le charme disparaît et je redeviens visible. «Qu'on lui coupe la tête pour qu'il entende la voix de Lao-Tseu!» Henri se réveilla à la station Malesherbes; il s'était couché tard la veille. Il s'en allait à Levallois-Perret chercher des documents pour aller les déposer ensuite dans un lupanar du quinzième. «Je suis innocent comme un cierge éteint. Ni vu, ni connu.» Henri s'engouffra dans le métro Anatole-France. Le roulis du métro, à cette heure non tardive et pas trop polluée, fit qu'il s'endormit aussitôt, happé par ses rêves de jour. Il s'oublia enfin, jusqu'à Opéra où je sortis de sa torpeur, direction Balard.

25. DE TROP BONNE HEURE

Ça swing au Nazet! Django ressuscite et y va de toutes ses cordes. Je reviendrai plus tard, vers la fermeture. Y a trop d'Anglais maintenant et ils me font un peu chier avec leur air de posséder le monde. En attendant, allons prendre une belle Kanter pression au Ticon, en regardant le trottoir, rond comme une boule d'ours. Le cartoon se développe encore... Le bartender regarde ma main écrire sur le comptoir avec un sourire au coin des ongles. Le plafond est pas mal perforé... Tout le monde devient artiste quand la caméra est plus lente. Slow motion, ce soir... C'est à cause de l'apéro prolongé, allongé. Y a des Africains qui jacassent fort à côté. Le garçon, qui a travaillé toute la journée, leur dit de se fermer la gueule. On n'est pas dans la jungle, quand même! Les Africains se tassent dans le coin de la machine à peanuts et baissent le volume. Je demande poliment: «Tu me r'fous une Kanter, viârge!» Pour la route. Mais la route est longue et les heures sont courtes. Je me ferme la gueule.

Le silence, c'est un peu la solitude. Ça élimine les conneries qu'on peut dire et qu'on dira une autre fois. Demain, j'arrête de boire.

26. LE LENDEMAIN

Saint-André veillait sur son hôtel avec la perspicacité d'Agatha Christie. La clientèle s'étalait de Mrs. Marple aux dix petits Nègres en passant par Monsieur Skotovizk, célèbre critique d'art tchèque, Monsieur

Racine non moins célèbre cinématurologue québécois, les mannequins slaves, qui s'lavent pas souvent et préfèrent de beaucoup le maquillage, Frédéric l'athlète-espion du Cameroun, sportif et artiste, mademoiselle Jenny d'Australie et nombreux autres qui se croisaient et se décroisaient dans l'escalier, se reprenaient en conversation au petit déjeuner et s'éparpillaient... (Quand la femme de chambre entra avec sa balayeuse...) Ah oui!... s'éparpillaient dans les yeux enjoués d'Henri qui enregistrait tout. Chaque mouvement des pions lui suggérait un scénario comique. Sa plus grande joie consistait à se trouver un complice pour en laisser couler le jet. Si j'eusse moi-même voulu, jadis, devenir hôtelier, j'ose espérer que j'en serais devenu un de la trempe d'Henri. Tant qu'à être tenancier, il faut jouer le jeu! Prendre les pièces et les placer stratégiquement dans la bonne case. Savoir mentalement les dimensions et positions exactes de chacune d'elles pour développer l'intrigue de la façon la plus pertinente. Tout est dans la disposition. À ce moment-là, Martin-Pêcheur fit sonner le téléphone de ma modeste chambrette. «Allô!» Je sors de ma rêverie. La femme de chambre range sa balayeuse... «Allô! Martin père?... Comment va Martin fils? Tu arrives d'Allemagne? Une émission de télé? T'es en forme? À lundi!»

Henri pétillait des yeux et muscadait de la bouche, certains après-midi quand il me faisait le récit, le conte goutte rendu, la réflexion faite et la complicité de sa conversation. Il ne m'en voudra pas de lui avoir subtilisé son prénom, car sa matière est un peu la mienne. J'ai moi aussi subi le charme et la béatification de Saint-André. Avec lui, je frôle les murs et je visite les chambres. Chaque casier à clef ouvre la porte de mes petites portes. Je voyage en silence à travers toutes les alvéoles de la ruche.

«Tu sais qui est Hardellet? me demanda Henri.

— Non, mais je connais Al Zheimer.

— Je te prêterai un livre d'Hardellet; tu sais, c'est lui qui a écrit les paroles de la chanson 'Le Bal chez Temporel' où ils allaient là-bas, chez la bonne femme... Je te passerai *Lourdes, lentes*... Hardellet est le seul écrivain qui a osé commencer un recueil avec la même phrase que Proust: 'Longtemps je me suis couché de bonne heure... le matin.'»

27. L'APÉRO

Comme je me couchais moi-même à la même heure, je ratais toujours les petits déjeuners compris. De toute façon, le matin, ma face de bois tendre et de bois mou est un peu lasse du bla-bla et du glou-glou de la nuit. J'aime mieux alors m'alimenter moi-même qu'alimenter une conversation. Souvent je regarde le morceau de baguette avec fébrilité et le café tremble dans ma tasse. J'aime mieux m'abstenir. Mais je m'installe volontiers l'après-midi avec Henri sur le luxueux canapé du chic hall nouvellement rénové, et on sirote quelques mots blancs. Henri en profite pour parler à grands débits. L'apéro donne la parole et ouvre l'appétit. Une histoire en amène une autre... Henri y va à bouchées doubles, car lorsque son grand frère est là, il ne peut pas placer un seul mot. Alors, en bon philosophe qu'il est, il laisse la place à son aîné et se tait lui-même. Il retient ses phrases, lesquelles s'enroulent en «spring» derrière ses glandes, se terrent dans son subconscient et ressortent en Niagara à la première occasion. Petites gouttes deviennent geyser et cascades. Les fleuves grisés s'entremêlent et se coupent de leurs sources, en fracassant les rivages.

Vomissant ses cadavres sur la berge, la mer rend ce que frère prend.

Henri est détendu et envoûté par le contrôle de ses personnages-clients. Le temps n'existe plus mais toutes les époques apparaissent soudainement. Ce sont les mêmes chambres, mais les différents occupants appartiennent simultanément à d'autres époques. C'était en 50 à la 20! ou encore en 82 à la 16! Il n'y a pas de suicide au Saint-André. Les fantômes n'auraient pas le droit d'y revenir. C'est la loi. Il est préférable de mourir de mort naturelle que d'ennui. Et Henri ne veut pas d'ennuis, il fait de l'asthme. Il préfère la détente de ces petits après-midi enchanteurs à filtrer les rideaux devant les personnages. Ce sont de petits rideaux à travers lesquels on peut observer les acteurs mais au travers desquels ceux-ci ne peuvent apercevoir les spectateurs. Et ils sont tout blancs les rideaux. À l'inverse de ce que le comédien voit quand il est sur scène, face au trou béant de la salle. La nuit, la petite lampe s'allume dans le hall. Mario-le-veilleur veille. Saint-André nous bénit. Et nous voilà tous en coulisses.

28. PAPIER DE SOI

J'entends le grand Australien d'à côté qui joue du banjo. Ça sent un peu la vase car j'occupe presque la toilette de l'étage. Mais ce n'est qu'une bouffée qui s'anime comme ça, de temps à autre, et qui sort par la fenêtre en passant furtivement au-dessus de mon petit bureau. Serait-ce l'inspiration? The out sound from way in? Les chiottes sont très importantes dans la vie des Français, en général, et l'étonnement primordial chez le fier Québécois qui débarque ici pour la première fois tourne toujours autour de sa première toilette-à-la-turque. C'est ce qui arriva un jour à ce père de famille quand, ayant ingurgité avant son départ un assortiment de quatorze capotes superposées et fourrées d'huile de Maurice, il les libéra après quatre jours d'attente dans sa première bécosse turque. Il en garrocha joyeusement le stupéfiant résultat sur la table. Il faut dire que les Canadiens qui effectuèrent un retour aux sources en Normandie, pendant le débarquement, furent tout aussi surpris quand ils mirent le pied dans leur premier bidet. Comment pouvaient-ils savoir que c'était pour se laver la tête? Non! Les toilettes turques ne sont pas faites pour les autruches. Ni pour les kangourous. Mais j'y verrais bien le chien du Ticon enfermé à double tour avec Gros-Grain...

29. PARIS 10e

Quand nous vivions tous chez Babache, c'était pas triste souvent! À quatre dans la même chambre, on n'avait pas besoin de chauffage. (Sauf, peut-être, Ramsès l'Égyptien qui aimait bien la chaleur, dans son sarcophage.) Il s'y dégageait, le matin, une odeur subtile d'alcool transpiré à notre insu pendant la nuit. Tout ça donnait un grain assez caractéristique à l'endroit. Nous dûmes nous habituer à y vivre comme dans un entrepôt. Grabats, guitares et caisses de vin y faisaient bon ménage. Ramsès l'Égyptien pouvait ainsi dormir sous une pyramide de caisses et n'en sortir que pour aller manger du beau manger. Babache utilisait sa chambre et nous partagions la douche. Nous faisions notre lessive dans le lavabo en même temps que la vaisselle. Poulet-Chasseur couchait tout habillé sur le divan, c'était plus pratique. Il était déjà habillé pour le lendemain. Il lui arrivait parfois de laver son jean, en prenant sa douche. Vécé utilisait la toilette assez souvent dans la journée, avant et après les repas, surtout. La musique fusait de toutes parts, à toute heure du jour et de la nuit, à la plus grande joie des voisins. Ceux-ci étaient très compréhensifs, et même parfois complices. Tel ce monsieur qui arrivait toujours la face amochée, le matin. Nous apprîmes à mieux nous comprendre en nous rencontrant une nuit dans son bistro d'échange de coups préféré.

Nous allions souvent chez madame Mado, rue Lucien Saimpaix et chez Lucien, à côté de la gare du Nord, au Paris-Lille, rue de Compiègne. Madame Mado nous faisait les honneurs de sa pompe-à-mousse dans son petit établissement de quatre mètres carrés rectangulaires, en nous appelant «les petits Canadiens». Ce bistro était tel que je garderai toujours en mémoire, surtout si je l'écris tout de suite, l'impression que j'en eus lorsque j'y mis les pieds pour la première fois. J'étais avec Babache et nous errions depuis deux jours, à notre insu, nus, main dans la main avec nous-mêmes. Nous sortions de l'étable... euh! de table et Babache me dit: «Viens, je t'amène là, derrière!» Nous entrons, bourrés comme des pâtisseries et nous nous retrouvons au milieu d'un pittoresque outre-standing. Les horlas de la loi. Les plombs dans la carie. Une vieille Yougoslave, laide comme une verrue grossie huit fois, me parle dans le pif en laissant entendre des sifflements insensés, des décompositions linguistiques à ne même plus comprendre, ni traduire, ni expliquer. Quel langage sorcier me tient-elle? J'en suis littéralement frémissant. Elle m'explique qu'elle a été amoureuse, jadis, d'un Canadien anglais et qu'il l'a quittée. Ça ne me surprend pas! Y a aussi le vieux colonel qui pète tout le temps. Lui, il a fait l'Indochine. Il y a aussi deux espèces de Hongrois archi-défoncés qui paient la bière en criant: «Haussmann Haussmann». Merci bien, Monsieur Haussmann! Y a du monde dans la garde-robe!

Chez Lucien, c'était différent. Avec sa grande salle au rez-de-chaussée et celle du haut, il pouvait faire une sélection. Les touristes au premier, les habitués et les fous en bas. Avec son menu à 40 francs, vin et entrées à volonté, il trouva en nous d'excellents clients. À cause du vin, il dut majorer ses prix l'année suivante. À l'heure où les clients s'éparpillent et ne restent que les copains, Lucien devenait fantastiquement fou. Il mettait la musique à fond la caisse, de vieilles rengaines des années soixante (style «Capri, c'est fini») et là, avec son manche à balai en guise de microphone, des oranges en guise de nénés sous sa chemise, et un pied de céleri dans sa culotte, Lucien faisait son show. L'assistance s'en étouffait dans son assiette. C'était irrémédiable. Ça finissait debout sur les tables, peu importe la classe. La classe importait plus quand il s'agissait d'aller chez Georgette, à Levallois. Georgette, de son vrai nom Georges, avait aussi le sens du spectacle. Ancien danseur travelo recyclé en restaurateur, il avait conservé, tel que dans un musée, toute la panoplie de sa folle jeunesse. Cadres, disques 78 tours, phonographe ancien, chapeaux de toutes sortes, cannes, etc., s'empoussiéraient pêle-mêle un peu partout. Là aussi, à l'heure où les clients s'en vont et qu'on leur serre la queue, Georges, 65 ans, redevenait Georgette, trente ans plus tôt. Moyennant quelques touchants attouchements, il nous passait en revue toutes ses anciennes revues. Mettait des disques, mettait ses chapeaux, ses frous-frous et ses tatas et offrait une performance indéfinissable ici... malheureusement.

30. À PIED DE COCHON

Un p'tit muscadet chez Rébillard-the-world. Muscadet-sous-le-lit comme il dit. Rébillard lui-même est là, avec sa bonne bouille de d'Artagnan petit format et me fait des clins d'œil complices. Son patron a les yeux sur le cash. Yeux couleur de zinc. Rébillard me voit écrire et me dit: «Hé! écris pas d'conneries sur moi!» Sur le zinc, Rébillard. Sur le zinc! Et hop! Un autre muscadet...

Les clients de six heures prennent l'apéritif tranquillement, occupés à modeler leur glaise humaine et à la travailler à grandes poignées de main. Je ne suis pas pressé. Rébillard, derrière sa moustache, m'explique que lorsqu'il était fabriquant de pieds de cochon à la Sainte-Ménehould, il était le seul à Paris à faire ça... Tout se mange, dit-il. Rien n'est à jeter, même les os. LE PIED RARE. Le seul, le vrai, Monsieur le Directeur. Le Pied de cochon à la Sainte-Ménehould part à l'assaut de la Capitale.

Depuis bien longtemps, le pied de cochon est un mets très apprécié en Argonne. La légende ne nous dit-elle pas qu'en 1495, le roi Charles VIII entra dans une auberge fleurie de Sainte-Ménehould où on lui servit des pieds de cochon?

Plus tard, Camille Desmoulins déclara que pendant la fuite à Varennes, le roi Louis XVI s'attarda dans une auberge à déguster un plat de pieds de cochon à la Sainte-Ménehould, quand il fut reconnu par le maître de poste Drouet auquel il avait donné en paiement un assignat portant son effigie.

La découverte de la célèbre recette des pieds de cochon, à la Sainte-Ménehould, par l'hôtesse Bazinet de l'Hôtel de Metz, daterait de 1821.

Tout le monde connaît, de réputation au moins, les pieds de cochon à la Sainte-Ménehould. Ce mets est célébré comme un régal exquis dans les annales de la gastronomie. Les gourmets en apprécient la fine saveur et la délicatesse.

À partir du 1er juillet à Paris, nous allons produire et fabriquer ce célèbre pied dont le secret est gardé jalousement. Attention! il y aura peu d'élus. Aussi, nous vous proposons de nous contacter dès à présent.

À bientôt!

Maison Rébillard
2, rue du Chevalier de la Barre
92170 Vanves

En plus de la culture lourde et enlacée qui pèse séculairement sur son pauvre petit dos domestique, ce qui fait la force du pied rare, c'est la préparation. Le client n'a plus qu'à le réchauffer, il entre donc dans la catégorie des plats cuisinés. Rébillard-le-pied-rare, qui était distributeur industriel et qui a foiré dans le domaine, a compris que désormais on mangerait le pied chez lui et qu'il ne se servirait plus des siens pour la livraison. Une grandiloquente jeune femme entre, l'air complètement de mauvaise humeur. Elle marche avec le cou cassé et les talons qui claquent. Comme tirée en avant par son collier. Une claque derrière la tête la remettrait peut-être en place? Rébillard finit son quart. Il est sept heures. Je n'ai plus rien à faire ici. Je paye, cold cash, 27 francs. Les yeux de zinc du patron s'allument et Rébillard me remet la monnaie. «Tenez, jeune homme!... sur cent francs.» J'ai un hostie d'goût d'poulet! Dehors, l'Espagnol gratte passionnément sa guitare et y ramone toute la nostalgie de son pays. Il ratisse la rue. «On va boire un coup?» me glisse Rébillard. Adieu poulet, veaux, vaches, pieds de cochon et patron!!! Nous partons. La rue redevient folle. Le jour baisse ses volets. L'animation est toujours là, mais sous un éclairage différent... Déjà, mon ombre s'estompe et sort d'elle-même. Ahhh! La vie revit...

Rébillard-le-pied-rare m'entraîne à pied vers l'Atrium pour me causer de la vie de garçon de table. À 45 ans, c'est foutu. Fini la bringue inconsciente sinon t'es coincé. Tu joues aux courses, tu picoles et tu flambes ta paye. Avec une femme et un gosse, en plus... Je sais, Rébillard, je sais... On se quitte. Mes jambes traversent le Saint-Germain en courant et se trompent de passage. Il est temps que je mange.

31. AMERICAN DREAM

Les Américains t'emmerdent, tu ne le caches pas. Ils te rappellent ton Colorado anal natal. Tu t'en vas voir les Grecs... peut-être par nostalgie montréalaise? Ou plutôt pour voir s'ils sont partout pareils! Du poulette, des brochettes, des feuillettes de vigne farcies, et voilà! Kojak est international. Et son frère est mort. Le même jour que Rock Hudson et son non moins célèbre sida anonyme. L'Amérique s'étouffe, s'encule et c'est là son mystérieux charme. Voici ton poulet!

Il y aura une fête, ce soir, au Nazet, le Japonais était déjà là, à l'harmonica, quand tu es sorti. Tu iras peut-être? Après, plus tard... vers la fin. C'est la fête d'un Américain et tu as peur du sida chronique. Tu fais ton affaire dans ton coin et les Grecs ne t'emmerdent pas, tu magouilles comme eux, les mains sur la table. Un verre de rouge est à ta droite, une carafe d'eau à ta gauche et tu te fais des miracles de transfusion. Le coup des vases communiquants. Avec ton alambic, tu donnes un peu de ton sang et de ton encre. Ton ancre. Le dessert... tu demandes. La fille te dit: «R'garde le menu, viârge!» dans un autre accent, plus pointu. Tu regardes. Tarte aux pommes — Apple pie. The american dream. OK!!! Why not? Un couple s'assied à côté de toi. Américains. Les yeux dans les yeux, ils s'aiment. Isn't it gorgious? So fuckin' charming!!! Tu finis ta tarte et tu décâlisses. Devant toi, y a un gars, de dos, avec une poque sur son crâne chauve. Un terrain de golf avec du foin autour.

32. AILLEURS

Saint-Laurent plonge. C'est un plongeur, comme ceux qui cherchent des corps de Hells Angels, des sacs de couchage et des blocs de ciment. Saint-Laurent promène ses mains entre le lavabo et la machine à café. Ses gestes sont tellement rapides que tu as de la peine à les décrire et à les écrire. Tu dégringoles un p'tit calva en trou-de-mémoire de tes ancêtres normands et pour faire passer le pollo frito... «Y faut que ça soit propre!» te dit Manuel, en astiquant son rack-à-bouteilles, lequel, vu de côté, a plutôt l'air d'un jeu de poches... «Ça m'énerve quand...» «Bien sûr, tu lui dis, c'est la moindre des choses... Donne-moi un demi!»... On rigole pas, Monsieur Net est international. Saint-Laurent brasse ses cennes comme dans une débâcle. Ça te rappelle la sculpture, place du Québec... L'asphalte qui se soulève après la pluie. Un jour, tu mettras du savon dans cette fontaine. Il n'a pas plu depuis ton arrivée, tu attends... Pour aller au cinéma. Y a une belle Juive, sur la terrasse, qui exhibe ses muscles du bas cou, légèrement bronzés. Elle se met un pull... Il fait plus frisquet, le soir. Un groupe entre, tu te tasses vers le coin, entre le flipper et le sucrier. La Kanter est fraîche!

33. DIGESTIF

Les feuilles de vigne à l'ail font un drôle d'effet dans ton œsophage de vampire. La vessie, comme l'animal, se libère de l'humain. Tu pisses en paix. Quel sinueux néant t'habite! Blanc sur rouge, rien ne bouge. Rouge sur blanc, tout fout l'camp! Tu sors d'une agréable bouteille de Beaujolais et tu rentres à pied. Tu redeviens cette chose, ce grognon solitaire qui subsiste sur le bord de son rêve. Qui zigue et zague le long des canivaux et qui écrit son itinéraire, à mesure, sur les tops de chars (car il ne sait pas où aller et trois bistros s'offrent à sa vue)... Comme quoi, il ne faut pas courir après l'inspiration mais la laisser venir, se laisser racoler par elle... sentir la bouffée d'air tempéré qui vous happe quand la porte s'ouvre. La lumière ocre t'attirant comme un papillon, tu t'enlignes au Chy. «Un p'tit blanc! François!» Le Chy est peuplé mais tranquille. Tu te cales. Le zinc te rejoint et tu sors ton carnet... Ça discute de mille langues assoiffées qui se délient. Tes oreilles se recueillent. Amalgame thérapeutique sans recherche. Trop littéraire! Les conversations voisines te fustigent très fugitivement. Une main se lève. Salut ombre! Tes voisins parlent d'Ettore Scola comme s'ils étaient ses voisins de palier. Tu te mets à la place d'Ettore et tu te dis qu'ils sont un peu chiants. «Ne me pousse pas, le moustachu!» alors qu'il te pousse pour tenter de brosser de ses doigts crochus une chevelure féminine qui avantage généreusement sa propriétaire. «Alice, me fais pas chier!» Ton voisin bronzé se permet d'aiguillonner davantage. Fais gaffe, Didier! C'est un Espagnol chauve. Un picador. Ton taureau boit rouge. C'est plein d'Espagnols soudainement dans ce bar... Aye aye aye! On se croirait tout à coup sur le parvis d'une église. D'une abbaye de Barcelone. Tu sens que tu es aux frontières de te mettre à parler espagnol. C'est plein de Basques, c'est mêlant... Ça sent le café! Ça crie, ça rit et ça jacasse. Tu t'évanouis...

34. TOURNÉE!

Henri sortit son enveloppe d'Aspégic pour se soulager de sa douleur au dos. «Putain d'merde de nom de Dieu de merde!» Il reprit le volant et s'engagea sur le périphérique. Dommage qu'il ne puisse le survoler! Paris-Bordeaux, trois fois dans la même semaine... Amsterdam-Strasbourg dans la même journée, même embarcation... Interminable chemin de croix avec ce couteau coincé dans le bas dos, ce Gros-Grain empestant le camion de ses gaz et ce joli Gaston écrivant à sa belle Blanc-Boudin. «Qu'est-ce que je suis venu foutre là, merde? Depuis le temps, j'aurais pu commencer à apprendre à fermer ma grande gueule!» se dit-il en essayant de trouver un restaurant ouvert à une heure du matin, ce qui n'est pas toujours évident dans ce pays de hautes profondeurs. Ça sera sa dernière tournée, annonça-t-il pendant 3 ans... «Ça va pour vous: vous passez... Mais quand vous repartez, nous on reste et on assure!» Henri écarta son grand sourire où il manquait cinq à six dents et regagna ses rêveries sonores en appuyant sa langue sur son palais et en utilisant sa boîte crânienne comme caisse de résonnance. Il est vrai que quand on roule, on bouge. On est entre nous...

Encore cinq heures et on arrive à Brest. À Saint-Adrien de Plougastel, plus précisément, au Chupen Bar. Il fait noir comme chez l'yâb. J'alimente la conversation avec Henri car nous sommes sur une si petite route qu'il pourrait bien s'endormir d'ennui et de fatigue. On parle de tout et de rien, comme on fait dans ce genre de situation. Pour passer le temps. Le camion roule sans nous faire d'emmerdes. Y a assez de la courroie de ventilation (strap de fan) qui a lâché, trois kilomètres avant Bruxelles, la semaine passée... Heureusement qu'on a eu la présence d'esprit de la remplacer par un foulard 100% coton! Y a aussi le banc avant qui est arraché mais y paraît que c'est normal chez les C35, c'est leur point faible. Leur dos d'Henri. Le rétroviseur gauche est cassé, alors on regarde en avant, à travers le reflet hallucinant du pare-brise. Ce pare-brise n'empêche cependant pas le reste du véhicule d'être brisé, mais nous voyons un tas de choses dedans. Comme ces flics aux postes de péage, que la vue de notre char sort de leur torpeur béate. Ils se font toujours un plaisir de nous faire un signe de la main. Pas pour nous saluer, mais pour nous faire ranger, nous coller, nous vérifier, nous emmerder et nous faire chier. Restons polis! car ils peuvent nous faire chier longtemps et ne pas nous rendre nos papiers assez vite... «Vos papiers? Les papiers de la bagnole s.v.p.?» Le papier à cigarette, un coup parti? On s'en roule un petit et nous voilà repartis, rouli-roulant. En pétaradant. L'essence est plus chère que le pinard. On ne compte pas les gouttes de la même façon, et on se tient en marge des autoroutes payantes, le plus souvent possible. On roule le long des petites départementales et on s'insinue dans les petits bars de ces charmants petits villa-ha-ages, au hasard des petites gouttes de campagne. À la hauteur de Mâcon, nous sommes attaqués par un embouteillage monstre. Les étudiants en médecine mâconnaise ont déversé un camion plein de tessons de bouteilles sur l'autoroute pour protester contre l'intelligence. Sans faire ni 1, ni 2, notre merveilleux véhicule entrevoit, de ses phares diffus, une barrière interdisant l'accès d'une voie adjacente. Le voici qui brise la règle et nous fonçons, nous sautons la barrière. Libres comme le vent, les chevaux vapeur trottent et galopent à bonne vitesse à travers les prés du Beaujolais. Nous atteignons Pouilly-Fuissé en un rien de temps tandis que, sur l'autoroute, les moutons attendront cinq heures d'affilée que Panurge veuille bien faire circuler le troupeau. Barrières mentales. Nous roulons maintenant dans les caves et sous les tables. Résultat: quinze caisses de plus à rajouter au matériel. «Plein l'dos!» grogna Henri.

35. VOYAGERIES

Un clodo engueule la lune, en plein jour. C'est plein d'Américains et il leur reproche de posséder monde et lune. Monsieur Vavin passe en vomissant dans sa barbe. Madame Lafoule chante une chanson de Piaf qui se termine d'un coup sec, dans la gerbe également. Ça sent le dessous de porte Saint-Martin. L'aisselle Saint-Martin qui pue l'urine de ses ivrognes. Et pourtant, il n'en fait que plus beau. Ça et là, en butinant, les Arabes font leurs tours de passe-passe sur des boîtes de carton. Le même genre de boîtes sur lesquelles Ubald dormait, ou plutôt essayait de dormir, dans la cour de la prison de San Juan Del Rio, au Mexique. Même genre de prisonniers également. Les Mexicains tressaient des paniers à longueur de journée et ceux-là, ils jouent aux cartes. Qui perd gagne! On ne s'en sort jamais. Il n'y a qu'en Suisse, au ciel, où tout est propre et bien réglé. C'est là qu'ils ont inventé le coucou pour contrôler le temps. Ubald mit ses gigueuses de sept lieues et partit donc pour Nyon, en Suisse, avec les bottines toutes souriantes. L'après-midi se détendit. Il faisait un temps superbe. Au lieu dit «Le Bar des musiciens», il y avait des tables de pique-nique avec tout ce qu'il faut pour mettre dessus. La musique s'y galvaudait de tout côté. Il était environ 4 heures et, à 2 heures du matin, ça n'avait pas dérougi. Il faut dire que la côte du Valais est assez à pic... Ubald n'avait pas participé à un tel bœuf haché depuis des siècles. La dernière fois, c'était aux Îles-de-la-Madeleine, avec le baron Langford, chez le duc de Chantraine. Faire de la musique pendant douze heures de temps en buvant de la belle bière, y a de quoi rater un avion! Hé bien non! Avions pas... et se ramassions à New-Orleans, le même après-midi. De là, prenions l'autobus direction Lafayette, prendre quelques consommations chez Papa Crédeur et puiser courage pour continuer jusqu'à Mamou, chez Fred. Fred soi-même est confortablement installé derrière son bar avec une longue cuillère et une chopine de crème à la glace. Une coquerelle sort de dessous le comptoir, longe l'étagère-à-bouteilles et s'expose à nu, sur le mur. Fred lui câlisse un bon coup de cuillère et continue à manger comme si de rien n'était. Coup de baguette magique suprême, tu te retrouves en compagnie de l'inspecteur Épingle lui-même, à Londres, au French Pub de Soho, où c'est plein de déguisés intellectuels british qui jouent la carte française: béret, foulard et regard lointain. Tu saisis instantanément le phénomène cajun, mais à l'inverse. L'assimilation est en marche arrière. Tu ne pars plus vers la

Louisiane, c'est elle qui vient à toi... Orpheline coupée de sa mère qu'elle ne reconnaît plus. Lucidité gastrique. Gerbage de fleurs de lys. «Faut pas en faire une maladie! clame l'assimilation, sous plastique. Les Cajuns sont noyés et n'ont que leurs verres pour respirer entre eux...»

36. CONVERSATION SUR LA GRILLE

Ça te rappelle les premiers temps où tu t'ouvrais la trappe à Paris. On ne te comprenait pas, on te prenait pour un provincial et un péquenot. Alors, tu demandais la même chose en anglais et aussitôt: Salamalek! Salamalek! «Le Français donne son cul à l'Américain! déclare Jimli, le gentil petit vendeur de tapis volants arabe. On se plaint de l'invasion mais on tombe à genoux devant un T-shirt ou quelque colifichet...» Détendu, tu sirotes l'apéro en sa charmante compagnie, le coude sur le comptoir du bureau de l'hôtel en discutant de langues et de l'amour des langues. Ce que beaucoup d'Américains itinérants n'ont pas, dit-il. «Ils ne volent pas vers le monde, précise Jimli, ils le prennent pour acquis à travers leur cerveau portefeuille...» Le tien, de cerveau, ressemble plutôt à une poubelle. De plus en plus. «Tu sais l'origine du mot OK?» te demande-t-il... Il sait tout. «Ça vient de la guerre, mon petit, quand nos amis américains envoyaient un éclaireur vérifier combien de morts jonchaient le terrain. Quand l'estafette revenait pour faire les «contes», si par malheur il n'y avait pas de morts, on disait: Zero Killed... OK?» Tu dis à Jimli: «Toi qui es Arabe et érudit, érudis-moi donc pourquoi on n'écrit pas nos chiffres de la même façon... Chiffres qui sont, après tout, chiffres arabes?» Tu parlais surtout de la façon très XVIe siècle de former l'écriture du chiffre, comme on le fait chez nous. Il te répond alors que les Arabes eux-mêmes dessinent leurs chiffres à la façon indienne et vous voici en train d'établir similitude et comparaison d'angles entre les deux façons d'écrire.

«Qu'est-ce que tu penses de la vie? te demande Jimli. Est-ce seulement une balade?

— Plutôt une salade!» que tu lui réponds...

٠١٢٣٤٥٦٨٧٩

37. CAMBRIOLAGE DE CERVEAU

«Non merci. J'ai déjà donné!» Ça se bouscule! Ça se bouscule! Te voici aux frontières de l'Égypte et du Portugal à manger du veau, avec de l'américain en bruit de fond. Dehors, il y a un bébé qui se «baby sitte» tout seul dans une bagnole, comme un chien. Ses propriétaires auraient dû s'acheter un poisson rouge! Le bébé est mieux d'apprendre jeune à se faire chier, dans un sens. «Les Africains sont comme les Ricains, chuchote Kamel le vent menteur, de grands enfants.» Un bossu passe sur le quai du métro. Difforme et lent. Tu te creuses les méninges jusqu'à la Bastille. Tu aboutis finalement dans un bar de paumés boutonneux, à une dent par bouche. Ça sent la ratatouille à plein nez. La place de la Bastille est demandée au parloir... On a tous des métiers de fous dans ce bas monde, qui ont de curieux rapports avec l'être humain, lui-même. Des Égyptiens discutent à côté de toi, maintenant. On dirait qu'ils ont mal à la gorge et qu'ils font passer la bande à l'envers pour la nettoyer. Tu es debout dans un coin... et tu te laisses aller. Tu déambules lentement, prisonnier de l'éternel couloir Bastille-Roquette. Dans le métro, à l'heure baveuse, il y a quelqu'un qui te regarde et que tu ne reverras jamais et à qui tu ne parleras sûrement pas. L'inquiétude t'incite à t'habiller neutre, pas trop voyant. «Suis-je l'être le plus chiant que je connaisse?» serais-tu porté à te demander...

38. LA NOTION DES DISTANCES... OK, L'ORIENTATION... K.O.

Dans le gruyère de la ville, les trous et les couloirs se croisent avec la complexité d'un cerveau malade... C'est-à-dire que tu sais, mais n'en vois pas toujours le bout. Aristide s'assit dans un petit parc, rue Lafayette, avant son escalade montmartroise dominicale. Son hot-dog était tellement dégueulasse qu'il l'avait foutu dans la Seine, à bout portant. Maintenant Aristide avait faim. Il y avait tellement de touristes à Montmartre qu'il se demanda s'il allait prendre la peine de s'y installer pour bouffer. Dans ce quartier, on entre dans les restos comme dans les moulins. D'autant plus qu'on risquait de le reconnaître et de l'emmerder, tellement on ne voyait plus que lui sur les posters et les T-shirts. Il était condamné à vivre, même à moitié mort. Il rabaissa son grand noir chapeau sur ses yeux et se voila le visage de son écharpe rouge. «C'est chiant d'être vedette, surtout à mon âge!» pensa Aristide, le «has been» de la Butte. À l'époque, il avait bien eu son propre cabaret, le Chat Noir, rue Sherbrooke, haut lieu de mauvaises fréquentations où valait mieux ne pas se retourner trop vite, de peur de frotter son dos à une éventuelle lame. C'est pourquoi les flics venaient souvent y jouer les orienteurs. Aristide prit place dans les hautes marches de la basilique pour voir à la circulation entourant le Sacré-Cœur et s'orienter lui-même.

Comment négocier tout ce système sanguin? ces nerfs, ces boyaux, toutes ces tripes et ces carrefours, tout en suivant sa vie?... Il pouvait voir tout Paris à ses pieds. Il plongea dedans. Comme il le faisait à l'époque, sur scène. Dans le contexte montmartrois de l'affaire, est-il artistiquement plus noble d'être un vieux peintre sans image qu'un chanteur qui n'a pas le droit de vieillir? Aristide se disait que les peintres-à-touristes n'ont qu'une brève époque à dépeindre et que les escaliers de la Butte sont plus faciles à descendre qu'à monter pour les miséreux. Maurice Utrillo lui désigna le chemin, du doigt de sa rue. Aristide entra au bistro.

«Nina vient ici!» gueule une cliente à sa chienne qui me renifle les pieds. Je m'enfile un coup «Aux Canons de Montmartre» et je sens que, si cette chienne n'arrête pas de me sentir, je vais lui foutre une salve dans la gueule et faire crasher la bête. Mais mon esprit vagabond fait en sorte que mes pieds m'entraînent Boulevard de Rochechouard, où les Arabes vendent du linge pas trop cher. Faudrait que je m'achète une paire de pantalons rouge-vin! Pour éliminer le problème des taches...

39. PEINTURE À NUMÉROS

Suis-je par hasard en train d'acquérir de la bonté, en contemplant les oranges du petit marché? Les oranges féminines de la rue Saint-Denis? Les oranges réaumures?

L'Église de Saint-Leu pointe ses deux clochers mais garde ses saints à l'intérieur. L'amour nous fait ici commerce de son dernier cri. Un nain passe. Suivi d'un automate géant. Les vieilles putes parlent d'autre chose en fumant une pipe, aux premières loges. L'invisible âme des rues fait tourbillonner ses couleurs. Goutte coulante, le temps s'égoutte. Il faut laisser se remplir le réservoir, le bassin imaginaire!

Le temps ne se bâdre jamais des autres. Il ne se sent pas concerné, pour ainsi dire... Des fois, même, il fait tout pour que ça passe. Comme un besoin de caser le monde, numéro par numéro. Peinture qui frôle le casse-tête préparé d'avance. Le temps vit tout en petits morceaux... Qu'on ne vienne pas lui demander s'il veut vivre en éternel! C'est pas son domaine! Il n'est pas payé pour ça. Rêves en bulles et en lames de fond...

40. LA LOTION QUI VIVE

J'ai les yeux cernés, des bajoues de quarante-deux pieds, une bédaine de bière et je suis tout petit. Je fais dur-mou. Mon nom est Séville Saint-Je, documentateur alcoolophile... pour vous servir. Une tribu quelconque tapoche sur des canisses à la station Châtelet. Dans le wagon, un sax solitaire me casse les oreilles. Je lui verserais bien un Saint-Boniface de bière dans le tuyau! J'ai la tête comme un logement super occupé. Un hôtel aux tempes serrées. Un métro entre les sourcils... Une ville entière en haut de la nuque, sous la tuque. La relaxation s'impose, sinon je ne passerai pas l'hiver. C'est bien d'être inspiré mais être aspiré, ça provoque de drôles de réactions. Le dimanche est une nuit de repos. Télégraphe en tête, je n'ai encore rien écrit... But shit!

41. TRÈS MINCE

Il se leva plus fourbu que la veille. Ça lui apprendra à être sage! Toute la nuit il s'était battu avec l'insomnie. Il avait catapulté tous ses assaillants... Les avait tous précipités dans le vide sans lui-même se faire évincer du toit où il se trouvait. L'un l'attaquait avec une planche pointue, l'autre avec un clou... Il se tournait et se retournait dans ses draps. Il changea de pays, rencontra sa femme, son camion glissa dans un paysage de neige en se fracassant en mille miettes. Il vérifia s'il n'avait pas perdu sa carte Visa, pleura de fatigue et se réveilla avec la certitude de ne pas avoir dormi. Il avait une bosse sur le front, du genre piqûre d'araignée. Une boursouflure gonflait légèrement son épaule droite... Quelle nuit étrange! Henri réintégra son personnage et sortit de la chambre. Lunatique à œil fixe. Tumultueux et instable, il se rejoignit dans le hall de l'hôtel...

42. COUP D'ŒIL

La jeune Américaine hurle et braille dans la 32... Peut-être un nouveau singe? «Always dramas...» comme dirait l'autre. Bouboule et Babache essayaient vainement de retourner à la vie des hommes, en traînant, tous les deux, le fond obscur de leur perpétuelle adolescence. Ils sortaient des Exils-Marquises, rue de la Gaîté. C'était un 1er janvier. La ville était hystérique et eux, attelés comme des bourriques. La nouvelle année des exilés. Ils firent quelques pas dans la rue, en titubant d'un pied à l'autre. Si l'atmosphère du restaurant était quelque peu triste, malgré la splendeur du décor, le dehors s'annonça morbide. Trois fils d'exilés arrivèrent en trombe avec des allures de terroristes en bandoulière. L'un d'eux sortit un flingue et le braqua sous le nez de Bouboule. Le coup partit. Un coup à blanc. Bouboule vit rouge et repoussa prestement son agresseur. Tape-à-l'œil! Il reçut instantanément une volée de coups de poing et de savate, ce qui le dégrisa quelque peu. C'est pas parce qu'on est invivable soi-même qu'il faut faire chier les autres! Il faut oser se tromper et non pousser en orgueil sous la paupière de Lucifer... On se rencontre toujours, au pays des démons, et on se tombe souvent dans l'œil. Chacun repartit comme il était venu, la couleur pompe le globe...

43. VISITE CHEZ LE CONSUL AVEC MONSIEUR RACETTE

Monsieur Racette était en ville. Monsieur Racette, avec son côté à la fois country, dandy, organisé et lubrique débarqua, frais comme un nénuphar. Les ravisseurs étaient là pour l'accueillir. Il arriva précédé de sa réputation, laquelle s'installa à l'hôtel du Monde Entier, dans un pyjama bleu. Monsieur Racette en profita pour aller ingurgiter quelques bières brunes afin d'endormir le décalage horaire. Il était de très bonne heure et il n'avait rendez-vous avec Monsieur le Consul que vers sept heures.

Les bonnes blagues se joignant aux belles bières, le temps passa et prit bientôt des allures d'embuscade. Pris en otage, monsieur Racette décida tout bonnement d'amener avec lui ses ravisseurs. Ces derniers l'entraînèrent dans le métro et le joyeux cortège se dirigea, avec un léger retard, vers le lieu dit de la réception. Tous s'attendaient à y voir se profiler un vieux consul chargé de médailles et autres instruments de torture du genre, mais quel ne fut pas leur vif ressentiment lorsque la porte s'ouvrit dynamiquement sur un jeune éphèbe tenant fièrement en main une caisse de Molson Export. Il y avait là monsieur et madame De la Ruelle, le docteur Grillepain, le poète Labrusse, ainsi qu'un tas d'invités de la même réserve, le climat s'associant effectivement plus à un cocktail littéraire qu'à une partie de football. Les ravisseurs enjoués s'insinuèrent naturellement dans ces mondanités, avec une courtoisie des plus réchauffées. Quelques barriques de vin tendaient allégrement leurs becs ici et là, à travers les chips et les hors-d'œuvre. Moultes bouteilles d'alcool agrémentaient également la forteresse et donnaient à la soirée un magnifique effet d'alto. La compagnie s'amusa bientôt de la présence des indigènes. On était encore à l'époque où ça faisait bien d'inviter des Indiens: «Vous venez bouffer à la maison samedi, nous aurons quelques singes!!!» Les singeries ne tardèrent point à se manifester. Sautillant d'une note à l'autre, quelques moukmouks se mirent bientôt à danser, au plus grand hérissement du poète Labrusse qui faillit s'entortiller dans son foulard. Discussions à gauche, coupes de champagne à droite, monsieur Racette sentit monter en lui le démon de minuit. Bientôt sa main se fit plus sinueuse et plus gaillarde... toujours très mondaine, cependant. Poulet-Chasseur, à quatre pattes sur la moquette, cherchait Maurice avec son briquet. Outragé de ne point le trouver, il ouvrit la fenêtre et se mit, de plein plan, à lancer des chips et des olives à la Tour Eiffel. Monsieur Racette essaya d'entraîner la Tour Eiffel dans un grand élan d'amour, mais se trompa et saisit madame De la Ruelle par la jambe. Son mari offusqué y alla d'un: «M'enfin, monsieur?» Monsieur Racette lui répliqua galamment, en lui donnant une poussée vers le lit: «Toé, mon hostie, si tu veux pas qu'j'te crisse par la f'nêtre, t'es mieux de t'fermer la gueule!» Poulet-Chasseur gerba dans le vase à plantes. Maurice, que ce genre de réception enchantait, se promenait de l'un à l'autre en usant de toute sa verve. Il entraîna madame De la Ruelle sous la table soi-disant pour chercher Poulet-Chasseur... Monsieur Racette, excité par la tournure des événements, mouilla son pyjama et se réveilla en sursaut, un *Penthouse* à la main. Il était 7 heures et 3. Il avait soif. Les ravisseurs arrivèrent avec des bouteilles et des femmes kidnappées chez un certain consul.

44. LA BIÈRE DU TRAVAILLEUR

«Y s'saoule mais y s'nippe!» me glisse Rébille en me voyant arriver avec mon armure de cuir. Moi qui ne bois jamais. Dehors, on peut entendre un accordéon qui zigonne «Le p'tit bal du sam'di soir». Je suis loin de la Brasserie Beurrier et de sa mort lente montréalaise. La goutte coule ici comme là-bas, mais en moins latent. Elle ne correspond pas à la même mare. Y a un océan qui la sépare...

Le petit vendeur de fleurs arabe se glisse à ma droite. J'aime bien sa bouille avec sa moustache Hitler-Chaplin grise, sa chienne bleue et ses souliers de corduroy. Tout le monde le charrie tout le temps et, lui, il est toujours de bonne humeur. Rébillard-le-pied-rare me dit: «T'écris encore? Tu finiras à Sainte-Anne! Ils sont tous comme ça... À force d'écrire, ils sont tous chavirés à travailler d'la tête!» Je lui réponds, en état second, qu'il a bien raison et que j'ai déjà rangé mes outils pour siroter une goutte, du bout des lèvres. Dehors, il tombe de petites gouttelettes de pluie très fines. C'est le bénitier du diable qui déborde.

J'égoutte les clients qui racontent leur fin de journée et je ris tout seul... sous le regard suspicieux d'un Rébillard en veilleuse. Le nain repasse dans la rue, les coudes sous les aisselles. Je siphonne à nouveau la vie, en puisant mon oxygène dans l'air ambiant. Un Auvergnat prend un concours de moustaches avec ses ancêtres. Entre le triceps droit du patron et la caisse enregistreuse, se taille l'échancrure d'un sweat-shirt qui enveloppe librement une ravissante jeune fille à peau banane. Mais j'ai vidé mon stylo de tout son jus. Il ne sert plus à rien. Rébillard le crisse dans la poubelle.

45. PARISCOPE

«Gustave! Ne parle pas aux inconnus, disait la vieille... Ne deviens pas trop familier!» Gustave le comédien s'haïssait parfois souvent à cause des situations dans lesquelles il se mettait les pieds. On lui aurait volontiers donné le record Guinness de fin de soirée. Il promit la lune à un Hollandais, la donna à un Hongrois super saoul et s'éclipsa dans l'ombre de sa face cachée. Il n'y pouvait rien. La bière créait un fleuve qui abordait doucement tous les continents, traversant le ventre d'un bon nombre de pays. Gustave devenait un voyageur, à même la source. Il se coulait derrière les langues au-delà même des frontières et des coutumes. Il aimait baigner dans l'inconnu et ses microbes. Même avec ses compatriotes, il communiquait mieux à l'étranger que dans son propre pays, sans doute à cause de cette ouverture libératrice qui fait parler le voyageur et met en marche chez lui des mécanismes qu'il s'ignore lui-même quand il est at home. Chacun parvient, par un curieux phénomène d'osmose, à s'oublier en parlant de lui. Fluide! Se perdre un peu pour se retrouver à travers les autres... Miroitantes gouttes! Gustave au grand chapeau devenait alors comédien, scénariste, costumier, dialoguiste et spectateur. Peu importe le théâtre et ses figurants! Même livret peut-être? Mais l'action variait un peu chaque soir et son déroulement n'en était que plus improvisé. La spontanéité était son jeu: le théâtre dans la salle et la scène sur le zinc... Le souffleur prenait la forme d'une pompe à bière au rassurant débit. On l'aurait presque appelé le théâtre des trois Gustave, de par son côté panoramique tridimensionnel. La solitude s'y détriplait parfois. Passé, présent, futur n'y faisaient qu'un seul et même acte, sans feux ni lieux. Une période d'exil n'est-elle pas indispensable à tout créateur? N'êtes-vous pas tous des exilés? semblait vouloir grimacer Gustave au monde...

46. LES MÉSAVENTURES DE POULET-CHASSEUR

Chemin faisant, je passe voir Gérard-le-Balafré au Bonaparte. Je n'y ai pas mis les pieds depuis des décennies. Il est content de me voir. «Saint-Germain est mort!» me dit-il. «C'est depuis que nous n'y venons plus!» Et là, sur ce bout de comptoir où j'ai si longtemps erré en mauvaise compagnie, je revois toutes les facéties dont il ne reste nulle trace. Les beuveries-tandem à l'angle des deux Gérard. Mon carnet m'en fait mal par le coin. On peut dire qu'il est écrit lourdement, et avec beaucoup de foie. Je revois l'arrivée de Poulet-Chasseur à Paris et son éclaboussement sur les murs de la Capitale. Soirées enivrantes au Bonaparte dont le décor était, mon foie, bien ordinaire, tout étant dans la complicité relative.

«L'alcool fait de nous de joyeux siffleux!» siffla un verre, la tête comme un poussin à la coquille cassée. «Et une Kanter et un chips pour monsieur Gaston!»

J'ai vu bien des safaris dans ma vie, des rites religieux et des phénomènes curieux mais je reverrai toujours, avec la même frénésie, Poulet-Chasseur qui poursuit la serveuse du Bolo en lui marmonnant: «J'te veux! I want you so bad!» et en la traquant jusque dans le sous-sol même, où nous sommes assis, entourés de victuailles, de geishas et de boissons. Après quelques bâillements d'amour, voici Poulet-Chasseur qui, s'étant éclipsé dans un demi-sommeil réparateur, se lève d'un coup sec pour retomber sur la table d'un Nègre-à-freckles qui veut instantanément en venir aux coups. Ce même Nègre que nous devions revoir plus tard dans le film de Lelouch «Les uns et les autres»... Vous savez la scène où, à la Libération, quand tout le monde danse la valse, les commères rappliquent en disant d'Évelyne Bouix: «Elle couchait avec les Allemands, maintenant elle danse avec les Américains (notre Nègre, en l'occurrence).» Il ne sut pas, à ce moment-là, que c'est lui qui aurait pu se faire tondre, car près de nous, il y avait une tablée de K.K.K. qui ne demandait que ça... Enfin! Poulet-Chasseur a toujours su traîner le côté caricatural de la vie dans sa musette. Un soir à Belleville, alors que nous étions invités à festoyer avec d'autres exilés, les flics rappliquent dans la baraque, avec mitraillettes et tout. Ils recherchent je ne sais quels slogos qui ont semé le trouble sans attendre la récolte. Poulet est assis calmement face à son couscous. Les flics hurlent: «Vos papiers!» Nous ne les avons pas. Forcément, car s'il y a quelque chose de chiant dans ce bas monde c'est de perdre ses papiers ou de se les faire voler. Alors sachant cet état de choses, on les laisse à la maison. Le plus baveux de la flicaille grabbe Poulet par les ailerons et l'entraîne au poste. Pour son côté caricatural, sans doute?

47. 20 000 LIEUX SOUS LES TERRES

Alors que je travaille simultanément à trois choses, dont ce projet de scénario de film «*20 000 lieux sous les terres*» (l'histoire d'un gars qui entre au métro Berri-de Montigny, à Montréal, et qui sort au métro Odéon, à Paris)... nous discutons de pendaison. Comme quoi la mort a aussi un sexe car les statistiques le démontrent: le suicide masculin gagne par pendaison alors que du côté des femmes, ce sont les barbituriques qui l'emportent. Jusqu'à la fin, l'homme garde son esprit de caserne, son mythe de Judas et l'ultime faculté d'emmerder les gens avec son corps. C'est pas beau un pendu et ça vous laisse une swingnante empreinte dans le cerveau, au niveau du souvenir. J'en ai moi-même déjà toute une brochette dans mes vieilles relations et j'en garde quelques-uns au bout du fil, dans ma collection émotive immédiate. La hantise sarcastique de Villon François me tient lieu de potence dans de telles circonstances. Cerf-volant à deux fils pique du nez, quitte les airs, pendu par le ventre de la terre. La mort gagne chaque jour du terrain et le fil de la vie s'atténue. Pendus au fil des idées, rattachés à leurs amarres, retenus tels des pantins aux cordes vocales du temps, les mots tombent dans la fosse commune... Et ce ne sont que des mots, encore une fois... Du vent sur une langue et des lèvres.

48. AÉRATION

La vieille clocharde montrait son cul aux passants. Évincée, dès 35 ans, de son travail d'hôtesse de l'air (à une certaine époque), elle n'en était jamais revenue... De ne plus patauger au ciel, l'avait foutue progressivement sur la pente et sur le pavé: la chute libre. L'atterrissage forcé, en quelque sorte. De cet arrêt brusque, elle n'en tirait que la langue, qu'elle avait bien pendue d'ailleurs!

J'arrivai à l'hôtel légèrement en retard. Mad Dog m'attendait sur le parvis. Mad Dog que je n'avais pas vu depuis sept ans... Étonnant de revoir un ancien confrère de la vieille galère! Je gardais en relief dans ma mémoire l'image du Mad Dog de l'époque, toujours bien pété, saoul jusqu'à l'ultime tangage et qui roulait obligatoirement sous les tables, chaque soir. Je savais maintenant que j'allais revoir un jeune homme de bonne tenue, ne buvant pas depuis cinq ans, en exil parisien depuis sept. Mad Dog recyclé en peinture! Nouvelle agréable. «Léger est-il encore vivant?» me demandait-il. C'est fou les tangentes qu'il faut prendre dans la mort pour s'en sortir vivant! «Et toi, Séville... ça va?» Je lui expliquai que je travaillais au noir, dans une agence à Paris où j'étais le seul blanc. «Dommage que tu ne sois pas noir!» me répétait toujours Barrio, le négrier en chef. La discussion de sept ans abrégée se termina dans le café serré au-dessus de quelques accords de guitare. Chacun reprit sa route et ses rêves pour tenter de se rendre disponible au sort et chercher de nouveaux couloirs aériens.

«Ce n'est pas nécessaire de toujours baigner dans le sirop pour faire des trucs!» m'avait dit Mad Dog, vingt-huit minutes avant de me quitter...

49. RINCE-COCHON

Moitié blanc, moitié Vichy, je me remets au bloc, pensa l'auteur. Je suis tombé sur un contingent d'ivrognes, une fois de plus. Des vétérinaires québécois qui ont même trouvé le moyen de se battre entre eux. «Mon cher Daniel, c'est à ton tour...» Je rêvasse sur les bords de la Seine pour me donner des visions dans lesquelles il fait très beau. J'aperçois des hommes-grenouilles sous le Pont-des-Arts. Vont-ils trouver un clochard noyé? Je m'approche. Il s'agit d'une publicité anti-nucléaire. Les plongeurs tendent une toile sur laquelle on peut lire «COULE PAS MON BATEAU». Greenpeace, frog man! Nous n'irons décidément pas à Mururoa cet hiver, mon amour... La Seine est verte de paix merdique. Et moi aussi.

Je poursuis ma route mentalement. On a déballé le Pont-Neuf. Sacré Christo! Ce pont-là est bien plus beau sans son emballage. Un chaland passe sous moi en laissant des bulles de matières brunâtres derrière lui. Attention au Sida! Des cochonneries flottent un peu partout et mon ventre en gargouille. Plus haut, quand je déplie mon regard de mes tripes, j'aperçois Paris dans ses derniers soubresauts d'été. Les arbres qui palpitent de chlorophylle comme des arbres de Noël. Luxuriant. Les façades qui accusent les rayons baptismaux en plein front. J'aime bien le Pont-des-Arts et ses boîtes à fleurs. Si le maire Drapeau voulait, il serait assez flyé pour l'emballer et le faire transporter à Montréal, au-dessus du Lac des Castors. Ne serait-ce que pour relancer Christo! ... et nous faire payer la facture. De l'autre côté, mon œil caresse l'Île de la Cité, avec sa touffe d'arbres dans l'entrejambes. La Seine, en dame nature, s'y ouvre les cuisses à cet endroit... sur un magnifique petit éden où pleure un saule. Chevelure reggae s'égouttant de son col.

Les femmes sont belles, les pommettes luisent, la vie revient...

Un vieux peintre commence à peine une toile, en tentant de saisir toute la luminosité du moment. Il a d'abord étalé son jaune pour bien fixer la lumière pendant qu'elle est là, et travaille maintenant les ombres qui viendront s'accroître à mesure que le jour passe. Il fait si beau et l'eau est si sale... Ce qui n'empêche pas les gens de se déshabiller sur les quais et de recevoir un dernier petit coup de soleil. Le vieux a saisi un bateau sur sa toile. Il a intérêt à faire vite car le bateau s'éloigne de plus en plus. C'est un vieux Japonais avec des cheveux blancs frisottant hors de son béret. Pour une fois qu'un Japonais n'utilise pas un Kodak! Il a lâché son bateau maintenant; il sait qu'il repassera, qu'il reviendra tout à l'heure. En voici d'ailleurs un autre. Le Japonais l'observe en replissant ses yeux déjà plissés. Ses yeux aux amandes. Le bateau se révèle plus long que le précédent. L'artiste aura donc plus de temps...

Je m'enligne chez Julienne, rue Dauphine. Quel merveilleux havre pour un vieux maraudeur comme moi. Tout est là! C'est tout petit et pas trop étiré par le temps. En 1943, madame Andréa m'y sert un Sauvignon frappé... «Et un petit à la santé de la santé!» La clientèle est un peu amochée. J'y reviendrai mettre de l'eau dans mon vin... incessamment.

50. MAUDIT INNOCENT!

Aucune notion du temps et tu n'as pas de montre. Tu n'en veux pas et n'en as jamais voulu. «Sommes-nous jeudi?»

Musique dans la pizzeria. L'heure en est euphorisée. Ça mélange complètement le serveur qui se perd dans sa monnaie quand tu lui tends ta paille au lieu du cinquante francs que tu tiens dans l'autre main.

On n'emmerde jamais celui qui écrit partout. On pense qu'il est fou et on lui fout la paix. On devine depuis toujours qu'il est inoffensif. Il mange quand il a faim et boit quand il a soif... Parle quand il en a le goût, sinon il se ferme la trappe. Il passe sans cesse de *je* en *île* et se caméléonne lui-même. Il est invisible. Il n'est rien. On l'oublie dans son coin. Il se lève, s'en va ailleurs. Innocenté et non-coupable. Non-palpable. Intouchable, incomparable et très corruptible. Il profite du beau temps et le traîne dehors. Hors de son enveloppe et de sa prison. Il existe à peine mais il est terriblement présent dans son absence. Pour un rien, il brillerait. Il se volcaniserait. Éclaté comme un pet de lumière. Phosphorescent. Ectoplasmique. On lui donnerait le diable sans confession... Des bruits le ramènent à la réalité... La réalité s'estompe comme les promesses, quand on a la grâce. De toute façon, on ira bientôt engraisser la terre et nourrir les limaces. Vaut mieux arroser ça avant qu'après! Ça sera toujours une bonne chose de faite!

Ni vu, ni connu. J'ai rien fait, monsieur le Juge, j'ai bu tout ce que j'ai vu. Innocent, qui s'en lave les mains. Aucune responsabilité que je vous dis. Sorti du monde et pourtant perdu dans son épicentre. Goutte océanique. On ne parlera jamais assez de la lucidité de l'ivrogne. Cœur bocal.

51. L'INSTANT PRÉSENT AU PASSÉ

Henri me demanda si je connaissais Alzheimer. Je lui répondis que oui et j'en profitai pour changer d'identité avec lui, en l'envoyant fouiner à ma place, à son insu. Henri arriva au carrefour Dauphine-Mazarine-Ancienne-Comédie. Quelle réelle comédie que de traverser ces rues à travers les bagnoles qui circulent dans tous les sens! Il longea le petit marché de la rue de Buci et je profitai de sa peau pour me refaire une santé. Je fis faire à son personnage toutes sortes de choses qu'il n'oserait faire lui-même... et put ainsi me reposer la tête à la troisième personne. Il aiguisa sa plume de paon et la trempa dans les insanités du «sac-à-vin» que les garçons du Chy laissaient couler à son intention... Surtout depuis que deux Québécoises irradiaient un coin du bistro. «J'coucherais bien dans une belle Canadienne comme ça, putain! Je lui ramonerais la cheminée. Dur comme du bois.» «J'm'les farcirais bien toutes les deux, les petits choux!» Toutes les litanies les plus colorées, tirées du flux des garçons de table, y passèrent. «Les rideaux sont tirés, la séance commence!»

Les Québécoises sortirent sans se douter du sort qu'elles venaient de subir, à leur insu. Une dans l'autre, la scène pivota... et le petit Arabe «Fleur coupée», à la moustache chaplinesque, vint prendre son p'tit Ricard. Il se gratta le cul. Un acteur connu fit une entrée discrète en galante compagnie. Rébillard mit un gros glaçon dans le verre de l'Arabe et fit déborder son verre, pour plaisanter. «Faut l'boire sec, si y fait chaud!» Fleur coupée réajusta la mélancolie de son regard et reprit une gorgée. «Le cinéma, j'm'en branle les couilles!» dit l'autre garçon. «Tu as mal? répondit l'Arabe. — L'acteur est parti s'enfiler la nana. T'as vu? et ça n'lui a coûté qu'un café... Et nous on est là comme des cons!» Fleur coupée rit en hoquetant et faillit s'étouffer. La fin de journée s'activait et Rébillard y mettait de l'accéléré. Dehors, des enfants passèrent à toute vitesse en poussant une brouette-à-bébé dans le trafic. Un bébé étonné... je ne l'ai aperçu qu'un instant. Peut-être s'est-il fait défoncer le portrait au coin de la rue suivante? Huit francs! Huit francs, pour l'Arabe. Tout le monde parlait en même temps. Soudain, plus rien, ou presque. Abstraction faite du coulant gargouillis émanant des vieilles qui jacassaient dans le coin. L'Arabe ressortit comme il était venu, reprendre sa vie d'Arabe vendeur de fleurs, à Paris.

Je reviens soudainement au présent, pour reprendre mon moi primaire qui a rendez-vous à sept heures trente devant le Théâtre de la Ville. Je vais voir Higelin, le gladiateur, ce soir, à Bercy. «Bercy, celui qui va chanter te salue!» Un chien entre et ressortit aussitôt, au passé. Illico et laid. Aussitôt fait, aussitôt dépassé. Participe dépassant du soir déjà tombé. Un boucher, maculé de sang, hésite entre le passé et le présent... et s'enfuit vers le futur.

52. LE TEMPS QUI TOURNE

Les sphynx de la fontaine du Châtelet crachent leur eau lumineuse dans leur bassin tandis que moi, l'impersonnel, j'attends tranquillement que le futur passe au présent. Les phares des bagnoles se disputent inlassablement les courbes et les rondeurs de la charmante place. Un autobus-accordéon me joue un air en ondulant sa croupe dans le tournant. Deux flics passent, impeccables de décontraction. Voici maintenant l'autobus 38 de la gare de l'Est qui s'enligne lui aussi dans la valse folle.

Le superbe camion blanc de la maison J. Brocvielle fait de même. Faut dire qu'il a un nom prédestiné! Le 96 de la Porte-des-Lilas refuse carrément et bifurque à gauche, le long de la Seine. Une vieille Volkswagen... Tiens! Il y avait longtemps que j'en avais vu une! Le métro, par petits groupes, laisse sortir les Horlas de son ventre. Le 38 de la gare de l'Est (où serait-ce son frère?) repasse.

La place du Châtelet devient une horloge sur laquelle je me fous de l'heure qu'il peut être. Ce n'est déjà plus la même dimension. En fait, il est 19h33, je viens de le constater, sans quitter ma place par terre, à travers la vitrine du Théâtre de la Ville. Une moto passe en vitesse. Le 85 de Saint-Ouen se paye une tournée, qu'il négocie assez bien. La foule des promeneurs de 19h40 évolue dans tous les sens. Un taxi décolle en même temps qu'une belle fille en collants graffiti. Un car de police. Une petite Vietnamienne du genre de *La Diva*. Un gros chien et son maître... que vient-il faire sur ce terrain de course? Le 81 du Châtelet fait un bref clin d'œil et s'enfuit aussitôt, hors de ma vue. Nouvelle charge de voitures au feu vert. Et clip! le signal est donné! La Citroën de monsieur Didier Dupont-Durand est avancée. Elle démarre et se trouve aussitôt choppée par un car d'excursion de la R.A.T.P. Monsieur Froc-de-Cuir déambule en lisant *Le Monde* et disparaît aussitôt, bouffé à la lumière rouge. Une deux chevaux. Deux deux chevaux. Je compte les chevaux... ça fait huit! Une, deux, trois et quatre... et un chips pour monsieur Gaston! Un quart Vittel, un express! Deux chevaux, deux! Une moto, une! Un taxi. La soif s'énonce et s'annonce à travers un torrent de suggestions. Je regarde les sphynx qui gerbent leur liquide et il me semble de plus en plus que le film passe à l'envers. «Higelin, celui qui a soif, craint le désert.»

20h01. Je marche dans le sable mouvant... avec un mirage de sphynx bavant devant moi. Je sens que l'oasis me cherche et m'appelle de ses néons. Je ne lui donne pas grand temps pour se manifester... 38 gare de l'Est, oui, oui, je sais... Le Sarah Bernhardt est là, à deux pas de moi. Un p'tit blanc en vitesse...

V'là Jean-Philantrope, au même moment! T'as d'la chance, Higelin!

53. OVER TIME

«Pourquoi n'y a-t-il pas chez vous une marge de jeu, une normalité d'action entre le bar-salon plate de Pointe-aux-Trembles et le bar en uniforme du réseau Duluth-Saint-Denis-Prince-Arthur, etc.? Vous savez? Un espèce de Saint-des-Saints, de ces lieux sans télé trompeuse, comme vous avez... Ni musique à tue-tête toujours, tout l'temps, pour hippopotames et iguanes de prolétarienne compagnie?... et d'humanoïdes discussions aux accents quotidiens?» demande Didier Dupont-Durand, qui fut en visite déjà là-bas au Canada.

«La misère n'est pas que chez les riches!»

C'est la même chose pour l'éducation, Didier chéri!

54. AFFÛT EN FÛT

Pauline se leva d'un œil décidé. Son roman dans le roman lui développait l'oculaire des situations et faisait d'elle une inlassable espionne. Elle dormait d'un œil ouvert. En fait, elle ne discernait plus le jour de la nuit et ses pupilles se dilataient aux moindres soubresauts de ses paupières. Que ses visions soient réelles ou à l'intérieur de sa tête, la différence n'existait guère... et cela importait peu. Elle se surprit à observer les agissements des enfants yougoslaves qui pickpoquètent par petits groupes, au jardin des Tuileries, avec leur éternel journal en guise d'écran. Elle les vit aborder un couple, et rater leur coup. Pas assez vite! Les voici qui se mettent maintenant à trois autour d'un Japonais. Ils le frôlent, le bousculent et l'entourent, sous prétexte d'un renseignement quelconque. Ils sont vraiment fouineux, fouinant même jusque dans l'imagination la plus stérile.

Voilà qu'il cernent un vieux notable... qui s'en méfie comme la peste. Pauline les observe adhérer aux passants comme des microbes qui cherchent le moment opportun pour saisir tout ce qui dépasse. On dirait des mouches à marde ou encore des petits poissons qui tournent autour du pot. Pendant ce temps, assise à l'écart, une jeune bohémienne d'environ seize ans exhibe son bébé d'un air malheureux, mais avec toute la fierté de participer activement à la relève. Dur métier! La caméra fait un zoom back et on les retrouve tous sur le même banc, comme au hockey, entre les périodes. Ils sont constamment à l'affût, à guetter l'éventuelle proie. Ils passent leur siècle à faire ça, comme Pauline. Ils se lèvent, ils s'en vont... Pauline s'en va aussi, en fumant beaucoup de cigarettes...

55. JARDIN DES PRUNES

Le vieux Chinois sortit doucement de derrière son comptoir, déplia son long visage de James Coburn oriental, posa son biscuit chinois sur l'étagère derrière lui et s'avança nonchalamment vers le client de la 3. Le client, un éventuel représentant de commerce, poussa délicatement sa table, paya à la caisse, demanda: «Les toilettes, s'il vous plaît?» pissa une goutte de rosée et sortit. «M'sieurs, dames!» Le vieux Chinois remit le fric dans la caisse, ferma sa lampe chinoise et s'apprêta à fermer boutique... Il empila ses assiettes, les gratta, les nettoya une dernière fois et s'écroula sur le comptoir, raide. Mort d'ennui.

«Merci, monsieur, c'était très bon, je reviendrai sûrement...»

Sur son bureau, derrière son comptoir, il y avait un petit carton sur lequel on pouvait lire: Je vous aime tous, sauf moi... La grande phrase du poète et écrivain Jean-Luc Geoffroy avait encore frappé.

Six-Pieds sortit en boitillant. Dès l'enfance, un malheureux accident l'avait contraint à se faire amputer du pied gauche. Un accident de mobylette. Mais c'était la mobylette qui avait gagné. Conduite par un excité, elle l'avait happé au passage et avait broyé ses pieds d'enfant. On avait dû le circoncir de son membre et remplacer le tout par un manche de guitare. Six-Pieds en avait gardé cet humour aigre-doux qui lui faisait cependant écrire d'excellentes chansons. Guitariste à ses heures, mais n'ayant rien à faire de son temps, il aimait vagabonder dans les cafés et les bars à musiciens. Lui semblait-il peut-être que la musique était le seul langage qui lui permettait de taper du pied et où il le prenait un peu? On le voyait toujours, en fin de veillée, repartir cahin-caha, rimbaldien sur son membre de bois, en traînant péniblement sa guitare. L'alcool qu'il ingurgitait, en mauvaise compagnie, lui rendait la tâche encore plus difficile.

Un soir qu'il traînait au bar en attendant patiemment l'heure de la fermeture, il demanda à Saint-Pierre, le patron: «Tu peux me ramener ce soir?» Pierre, en bon apôtre fourbu et fatigué, acquiesça à sa demande. Ils partirent, tous deux, dans la bagnole, le char de Pierre-tu-es-Pierre. En cours de route, Six-Pieds ne prononça aucune parole. Il se détendit sur la banquette, ferma les yeux et soulagea les muscles de son cou en faisant craquer sa nuque par en arrière. Pierre le reconduisit silencieusement jusque chez lui où on le retrouva pendu, le lendemain matin.

On apprit par la suite que, l'après-midi de l'incident, le médecin avait déclaré devoir l'amputer de l'autre pied. Il s'appelait Six-Pieds, ce n'était pas possible.

56. JE VOUS AIME TOUS SAUF QUI PEUT...

«Je vous aime tous sauf qui peut... dit Maurice à la foule. J'aime plus Paris dans sa plaie que dans le fard qu'elle se met dessus!» «Attention, le p'tit, elle te fendra le cœur!» répondit Gros-Grain, tandis qu'après avoir réchauffé le cœur de la rue de sa flamme, le cracheur de feu, empestant l'essence, s'enfilait un verre de rouge entre les périodes.

«J'aime bien les gens qui ont des périodes, signala mollement Babache. J'aime bien les femmes. L'esprit est une boule: ça tourne!!!» La discussion se contourna sans se douter de la rue.

«Le sentiment est une sorte de colle qu'on ajoute quelque part, soupesa Babache devant le cracheur de feu. Tandis que la tendresse est permanente... Toi, tu es mon inconscient torturé. Le domaine de la bêtise est si grand!» Le présent reprit sa place. Nous voici dans la rue, comme de pauvres filles sympathiques sous les lampadaires... Nous arrêtons un groupe de femmes à qui on veut donner un enfant de onze mois. Petits pourparlers d'usage, sur la pointe des pieds: «Mais enfin, c'est votre fille!» Une manifestation de motards, quelque part, fait que tout Paris est congestionné. En veux-tu du monde? en v'là! Dans une vitrine, une affiche sur laquelle des squelettes font l'amour... Plus loin, sur un mur de la rue de Vaugirard, on peut lire cette citation mystique: «De milles sourires égratignés nos tendresses s'obstinent.»

J'arrive au Saint-André, il y a un message dans mon casier.

Cher Capitaine au long cou
Suis venu vous voir
Vous n'y étiez plus
Reviendrai plus tard
Fouillerai les cafés
les bouges
les bars mal famés
Suis rejoignable mais rarement
Ne me rappelle plus le téléphone
Mais on ne peut pas tout savoir
À tout à l'huile
Mike-the-Tramp
Samedi, 14 h.

... et moi j'étais rue du Cherche-Midi. Je cherchais vraiment midi à quatorze heures!

57. ET LES CHAPITRES DÉCOULENT TRANQUILLEMENT...

Plein le cul du reflet des autres?

Plein le cul des tortionnaires? des ravisseurs? des commandos? des castagnettes? des corridas? des assassinats? des attentats? des kidnappings? des revendications de toute sorte? des sinistres en pays étrangers? des cataclysmes? Vous voulez la sainte paix qui pue? Alors faites comme tout le monde: fermez les yeux et faites trois tours sur vous-mêmes. Soyez ni heureux, ni malheureux. Nivelé par la connerie. Entre deux vies. À moitié mort, à moitié vivant...

Tout le monde détestait la solitude de ces samedis soirs, coincés sous la masse. Tous ces gens heureux de fin de semaine le faisait chier. Aurait-il été chez lui, qu'il aurait regardé la télévision... Le chaos mondial lui montait à la tête et lui sortait par les oreilles. Il passa à travers le mur et s'en fut s'isoler sous son walkman... Pendant ce temps, le petit, et non moins alerte Vietnamien retourna son assiette à pourboire d'un geste sec. Il réapparut partout à la fois, tel un guignol, derrière ce long comptoir, en courant infatiguablement de la pompe à la caisse. Quelques Nègres se dandinaient en adorant la machine-à-boules et en émettant, ici et là, des grognements de satisfaction ou de déception, suivant le cours de leurs performances. Un parfait inconnu s'en alla et sortit, les mains dans les poches. Au passage, il saisit une bribe de conversation à la droite de son verre vide: «... tu sais, on était vach'ment plus jeune. Maint'nant, ça ne m'amuse plus... C'est vrai, je n'y peux rien, on devient plus exigeant...»

«Quel âge t'as?

— J'ai 26 ans et puis...»

58. ASTROBONHOMIE

Ça courait partout dans l'hôtel, en poussant des hurlements, comme si on lui avait mis le feu au cul.

Gros-Grain, à poil, avec son seul chapeau comme survêtement, poursuivait sa folie... Les filles se dispersaient à son passage, d'où émanait une odeur d'animal en rut. En monnaie de singe, il offrait plutôt le côté pile, le côté caché de la grande ourse qui reprend du poil de la bête... Son allure préhistorique blasphématoire amusait certes mais suscitait également la crainte. On ne savait vraiment pas de quel côté le prendre tellement il s'entourait lui-même d'une aura de bestialité, violente parfois... Il descendit l'escalier, flambant nu, en tenant solidement une bouteille de pinard dans sa poigne velue. La légende du chimpanzé se répétait une fois de plus.

Combien de fois revis-je ce dédoublement? Je ne saurais le dire... Par quel phénomène de transfusion s'opérait-il? Je l'ignore. Était-ce l'odeur de pinard sur son âme désolée? Nul ne le sait vraiment... Le docteur Lajoie-dans-le-sommeil lui-même, dans son testament, aborde franchement le phénomène sans toutefois lui donner une explication plausible. Lui, qui l'a observé s'opaliser si souvent, ne peut qu'en décrire la souffrance contagieuse dans ses propres tissus, sans toutefois n'y trouver aucun remède concret. Une fois le mal incorporé, l'ange s'enfuit à tire-d'aile. L'enfance s'égorge alors de convulsions dans un branle-bas de combat des plus pitoyables. Suintant frisson génétique qu'on n'a pas encore fini d'apprivoiser.

Cependant que, dans ses forêts intérieures, la grande ourse, victime des grands cirques terrestres, possède toujours, en elle, le mal du pays stellaire qui est le sien... et regarde bêtement courir les gens sur leur grand ballon.

59. RÉGRESSION SENSITIVE

Un peu de nourriture agrémentée d'un peu de vin remettent souvent les choses en place, disait un grand ascète éthiopien... Quand on laisse le tout envelopper notre être tranquillement et s'imbiber doucement dans l'âme pensive... La solitude se rejoint alors elle-même dans toutes ses proportions... D'une totalité avoisinante, si j'ose m'exprimer ainsi. Le secret coexiste quelque part, probablement, entre la vitesse de croisière et l'altitude à prendre ouvertement à angle obtus. L'envahissement se fait alors d'une façon plus progressive. Il porte en lui-même sa propre expansion: la magique récupération des forces... Et nous voilà encore appartenant à tous, en nous dépossédant de nous. C'est-y pas christ, hein?

Un chien entre, tirant sa maîtresse par la chaîne. Je me retire.

«L'addition, je vous prie!... et fermez donc la porte, câlice! Y fait frette icitte... pis vous chauffez pas... pis vous laissez les portes ouvertes... Toé pis ton ciboère de chien... Hostie d'christ d'habitants de calvaire!!!

— Mais y fait froid aussi chez vous, au Canada!

— Oui! mais chez nous, on ferme les portes... pis on chauffe, ciboère de viârge!»

J'arrive à l'hôtel, c'est dimanche soir, le Nazet est fermé... Y a encore plein d'Américains qui jouent de la guitare dans le hall, avec la tache de naissance de posséder le monde. José, le «watchman» brésilien, me fait signe de la main pour m'indiquer qu'il en a plein les glandes des rassemblements...

60. LA TOURNÉE DES CHÂTEAUX

«Mon insu me taquine quand je ne bois pas. Mes rêves habitués à naviguer dans x mètres cubes s'échouent aussitôt. Quand la marée baisse, mon niveau se désécluse. Mon sommeil a le fond bas et sa profondeur frôle la surface de l'insomnie. Mon insu se retrouve avec un coude dans la tête et une ancre dans le vase...» Ainsi causait Tendre-comme-un-Agneau, le berger, à son ami Langouste-Angoissée. Celui-ci lui proposa alors un remède à base de produits naturels: «L'Anti-nerveux de monsieur LeSourd», mais Tendre-comme-un-Agneau opta plutôt en faveur de l'élixir de monsieur Chon: le jus qui procura la longévité à sa vieille maman et fit en sorte qu'elle peut encore surveiller les sous, pendant que monsieur Chon, lui-même, s'occupe du vrai liquide.

«Vingt-cinq gouttes suffisent...» dit la posologie. Mais chez monsieur Chon, on ne les compte pas nous-même, car c'est la vieille qui tient la caisse. Châtelaine suprême, assise, telle un vieux hibou poilu, elle émet des sons grincheux, en tapant des mains. Ses yeux en tire-bouchons se vrillent à travers les murs de son palais, à travers la rue Chabrol, à travers le temps. Tendre-comme-un-Agneau aimait bien tous ces petits lieux bénis. Avec son ami Langouste, il en suivait souvent les parcours sinueux, s'arrêtant ça et là pour se donner le temps de siffler un coup de blanc, ou trois? Tenez ici! Juste à quelques pas... Au P'tit Bougnat, où monsieur H. Sarralie, châtelain du lieu, ex-charbonnier recyclé dans le gaz, opère d'une main leste le principe des vases communicants... Ou encore, au café-Bar de Nancy-Magenta, où maître Pierre, l'ex-maître-chantre de chez madame Mado, baigne encore quelquefois l'atmosphère de sa voix suave. C'est tout de même comme ça que nos deux lascars surent que madame Mado n'était pas morte, mais simplement retirée à la campagne. Ouf!... Et un autre à la santé de Mado! Châtelaine du temps jadis... Tendre-comme-un-Agneau et son compère Langouste empruntèrent, un moment, la vallée du Sébastopol, croisant au passage une vieille mâchée de gomme en bicyclette ainsi qu'une autre vieille folle s'évertuant à engueuler un autobus. Ils remboursèrent vitement leur emprunt au coin du Château d'eau, lequel ils changèrent aussitôt en vin, heureux comme deux poules-au-pot. Tout s'omniprésentait si bien. Château Branlant millésimé, dégustation lente du temps, loin de toutes ces choses chiantes de la vie qu'on passe sa mort à attendre bêtement, comme un gardien de morgue, dans un appartement meublé de conversations sur lesquelles on devra s'étendre le plus longtemps possible. Châtelains et fantômes qui sillonnent les couloirs et les caves. Vieux tableaux, vieux décors, poussiéreux laquais et spectraux serviteurs qui versent la goutte avec noblesse. Monarchie du pauvre. Tendre-comme-un-Agneau et Langouste marchaient à leur insu sur la route de l'amitié. Sur un tapis d'éternité. Rouge, déroulant et déroutant.

«Mieux vaut travailler à se tromper que s'emmerder en ne se trompant jamais!» dit un genre de Verlaine édenté qui passait, enveloppé dans son grand «coat» du Rhône, essoufflé par l'automne.

61. PARDON, LA MER EST BELLE!

Entre O. Henry et ses shorts, Henry James et ses cornets, Henri Michaud et sa plume, Henry Miller, Henri Rossy, Henri Ogier et Henri le Goupil, Henri errait en riant, un pied dans la rigole et l'autre en l'air.

Henri n'avait pas eu un tel «bas le cœur» depuis le

temps où il déterrait des chats morts pour les pendre au faîte des barrières de son enfance. Il rejoignit son copain Mike-the-Tramp chez Julienne où ils élaborèrent, tous deux, en sourdine, les plans les plus sordides. Les p'tits Sauvignons devinrent bientôt des p'tits survivants qui ramenèrent nos deux amis à de meilleures intentions. La parlure se fit plus drôle et plus délicate aussi. Presque raffinée. La parlure... cette dame parfois si vulgaire qui peut revêtir, en certaines occasions, ses atours les plus sophistiqués. Sophistiqué n'impliquant aucun doigt ni nez en l'air, mais plutôt une fine broderie d'images...

Les gueules de macchabées formant l'équipage permanent du bateau «Chez Julienne» s'illuminèrent doucement et des sourires de départ miroitèrent bientôt. Les vieux loups de mer s'accoudèrent alors sur le racontoir de l'horizon. La croisière s'estompa davantage vers l'avant. Henri et son coéquipier sortirent alors par un hublot et sabordèrent un canot de sauvetage en saluant tout le monde. À tribord toute! Ils ne nagèrent pas longtemps. Ils croisèrent bientôt un autre bateau dont ils s'avisèrent de visiter la cabine-restaurant. Une fois le mal de mer et la nausée noyés, bien s'en fut qu'ils eussent faim sans danger. Monsieur Racine, éminent poète au demeurant, se trouvait là à s'arroser le feuillage, bien planté sous la table, en cas de tangage. Il poussait à vue de nez et nos deux matelots l'accompagnèrent volontiers, si bien que l'emplacement prit bientôt des allures de trois-mâts, vent dans les voiles. Le large se prit... à son jeu. Les chansons de pieds marins se perdirent dans les mémoires en donnant du lest. «... Qui guide les matelots...» chantait Maître-Pierre... en revenant de loin... aussitôt reparti.

62. CHY-CHY-CHY

Ainsi donc! Hier soir, la veille du jour où l'on devait retrouver monsieur Spinovitz, les mains maculées du sang de ses deux filles jumelles lâchement débitées à côté du cadavre de leur père suicidé au vin fou... Hier soir donc, Frédéric Black jouait du Henri Salvador... «Une chanson douce, que me chantait ma maman...» dans le hall «... en suçant mon pouce...» de l'hôtel.

Comme un stylo crachant son jus avec force et tonitruance, un gars, en voulant se lever, casse, brise, détruit, met en pièces un cendrier puis renverse son café sur la table, face à sa dame. Rébillard s'amène: «Alors, qu'est-ce que c'est? Elle vous trouble?» Le gars, confus, demande un autre café...

«Non! Non! jette Rébillard, on ne sert que de l'alcool ici, vous êtes assez nerveux comme ça. Un p'tit blanc sec, alors???»

Les couples assortis défilent. C'est fou! Dire qu'ils rentrent tous, ou presque, chez eux après, qu'ils se baisent et qu'ils s'engueulent. Qu'ils se meurent entre eux. Lune pour lune, certains lunatiques préfèrent la lune du chien hurlant à la lune de miel... Moins collant pour la peau! disent-ils.

«À demain alors! Si j'suis pas mort...» soupire le cuisinier, en sortant.

La blonde du gars qui a renversé le café paie la note.

«Le renversé coûte plus cher! rébille Rébillard.

— Merciiii!» reprend la jeune fille d'un ton chantant, monnaie en main. Elle sort en rassurant son mec de porcelaine. «Sans problème!!!» rajoute-t-elle amoureusement.

Rébillard se dit tout haut: «J'comprends pas les gonzesses qui sortent avec des mecs comme ça, qui renversent tout!»

Des clients viennent installer, au coin du bar, leurs accents susurrants de sibilances naturelles. «Un verre d'eau fraisse!» dit l'un, avec un trou dans la dent. «Prends plutôt un Vissy!» répond l'autre, avec le même trou sensiblement au même endroit. Une posse d'air, sans doute? Un beatnik nerveux-boiteux, à la barbe recyclée de six jours cycliques, finit son café et crisse son camp tandis que, nez sur le zinc et verres en fond de bouteille, un vieux blanc boudin livide compte et recompte ses sous.

«Viens sé moi et su vis... su t'éclates! S'te zures!!!»

Une fée, dans la rue, prend pitié d'un vieux clodo et lui demande: «Que puis-je faire pour vous?

— Pourriez-vous vous changer en bouteille?»...

Pompidou fume une cigarette devant la caisse, le cou en autruche, serré dans son col. Raspoutine s'enfile une «33», paye et s'en retourne dans son soviétique tombeau. «Si j'divosse, ze me marie avec toi!» réplique le zinzin de droite. Un voisin, à gauche, le regarde et allume sa Gauloise... La Gauloise: ça c'est un cas de divosse! Ça grimpe dans les rideaux et ça empeste la vie à deux. En fait, le zinzin en question s'appelle Zizi. Ze viens de l'apprendre à l'instant même... où il sort.

«Allez! Ciao!» Parole d'homme, ze flotte dézà... Et il n'est que sept heures moins dix du zoir.

Sept heures! Don Quichiotte-de-la-brume-mâchée s'allonge en lui-même, s'embraye et sort en compagnie de Rébillard. Petit et grand, clopin-clopant, bras dessus, bras dessous... Au même moment, comme d'habitude, le vieux chum de Cocteau doit entrer au Restaurant-des-Stars... Vieille relique gracieuse! Homme mûr-à-mûr cloisonné derrière son mûr de transparence vieillie, aussi indifférent aux autres qu'à lui-même, tentant de refuser malgré tout que le malheur d'un autre vinsse le troubler dans son sommeil. Pourquoi faut-il que la seule chose qui soit de meilleur en nous s'effrite avec le temps? «J'ai tout mon temps, mais hors d'ici!» conclut-il. «I just called to say I love you...» entonnent de savoureux Italiens dans la rue, en bas, pendant que Ubald, qui vient de se lever, pisse dans son lavabo.

63. LE MONDE EN PERSONNE

La Seine frissonnait. Mille rides la chatouillaient de partout, comme si elle avait eu un banc de maquereaux aux fesses et des ailerons sous la jupe. Ubald avait de l'eau dans la tête et des vagues aux cheveux. Hydrocéphale aux poissons gelés la bouche ouverte... Comme une morue sauvage et libre, il préférait la sécurité des bas fonds aux futiles excursions en surface qui le neutralisaient et, quand il était happé ou hissé trop rapidement vers le haut niveau des choses, il en demeurait abasourdi. C'est à peu près dans cet état qu'on le retrouva ce matin, enfin, ce midi... Ubald étant un marin d'eau d'ours à la bouille conséquente. Un rocker de la pire espèce: de celle dont on ne se douterait guère... Chien qui aboie ne mord pas. Qui a bu aboira. Mieux vaut posséder ses deux jambes à Montréal qu'être handicapé et de vivre au 5e étage à Paris. Il s'enfila une belle Heineken blonde, (qui, tout comme le ketchup Heinz, chante la gloire de la Hollande...) et partit traiter «hold up» avec ses banquiers favoris.

«J'étais là, les mains collées au mur, dit Jean-Joseph à Philippe et je sentais la peur me monter le long des jambes...

— Chez nous, répondit Ubald, on enferme les caissiers dans des aquariums de verre anti-balles...

— Et les clients?
— On les appelle: messieurs...
— Y a pas à dire, ça traumatise!»

64. VOLEUR DE FEU

Si ton œil est une cause de mal, arrache-le et jette-le au feu éternel! Si le feu pogne au Saint-André, sauve-toi par les toits comme un singe!

«Au revoir! répondit Alcide, l'aveugle... Et ne vous cassez pas trop les œufs sur l'évangile! Laissez plutôt éclore votre pensée et ramassez-en les infinies parcelles d'humanité oubliée. Devenez l'antenne qui retransmet les accords célestes, plantée au beau milieu d'une infernale boule chite...» Et Alcide repartit, branché sur sa canne blanche, à la recherche d'un pont d'eau.

De maisons de correction en maisons de correction, Ubald s'était éborgné et égratigné la conscience. D'une jeunesse torturée, il avait su faire, malgré tout, une grande partie de rigolade... pour un incertain temps. Ubald était voleur dans l'âme, il en était marqué au fer rouge. Il volait de tout, de ses propres ailes. Who cares Icare? Il volait du temps, des idées, des phrases complètes. Il volait à s'en calciner. Ce grand feu du vol qui l'habitait l'avait fait visiter bon nombre de cages, à un certain moment... Il en avait gardé une claustrophobie personnelle chronique avec laquelle il faisait quand même assez bon ménage. Elle était, pour ainsi dire, sa compagne de cellule et il la considérait comme telle. Il était assoiffé de feu, lequel il cherchait à éteindre tout en ne parvenant qu'à l'étendre comme s'il y jetait de l'huile ou de l'alcool à friction. C'était plus fort que lui: éteindre, c'est un peu étreindre! Le feu le brûlait d'un doux mal dont Ubald propageait la flamme. La braise qui crépitait dans ses entrailles depuis des siècles, depuis la découverte du feu en fait, ne voulait pas se laisser mourir. Ubald, en quelque sorte, entretenait son feu originel en jouissant presque à la manière d'un incendiaire.

Il faisait froid et humide à Paris, cet automne-là... Ubald l'exilé souffla tendrement sur sa braise pour enflammer sa plaie. Il était irrécupérable, brûlé au 3e degré. Pas question de revenir en arrière! Son vol tenait de la survie imaginative. Il était voleur, il en serait un bon... Aucun intérêt à se retaper les cambriolages amateurs de sa jeunesse... Le rideau des sensations avait bougé pour lui et les petits vols de débutant sortant du nid ne le faisaient plus décoller. Même que leur souvenir l'alourdissait un peu et le forçait ainsi à jeter du lest sur son passé. Il en conservait cependant le feu sacré, mais il l'alimentait d'un combustible différent. Il exécrait la stagnation bête et douillette. Il était un peu comme Jeanne d'Arc, entendant des voix... Sa sorcière intérieure ne réclamait de lui qu'un peu d'attention pour lui traduire sa brûlure du fond des âges. Ubald s'incinérerait-il de la sorte, à petit feu et à petites gouttes?... et disperserait-on ses cendres sur une mer d'huile, qui s'allumerait aussitôt? Ubald flambé à la marée noire, pour l'éternité... Nul besoin de surveiller l'enfer... ni de payer les factures de chauffage, ni de brûler les chandelles par les deux bouts pour pouvoir les joindre. Lueur au sein des ténèbres, Rocking Ubald, Sun King, dispenserait ses rayons de bibliothèque cérébrale à tout le monde, directement de son buisson ardent prométhéen.

65. ET TOI? COMMENT TU VAS?

Y a de la musique partout dans le quartier. Elle envahit la rue qui tente elle-même de se sauver, palpitante poulpe palpée, mais qui reste là. Le vieux Nègre au coton blanc joue de la cuve pendant que Tom-le-frisé, possédé du démon de dix heures et quart, gesticule comme un brûlé avec sa vieille Gibson. La foule se presse, se touche, se frôle. Tu «pitches» un franc dans la caisse de guitare. Les Américains ont ce regard nourri dont ils te mordent les mœurs, toutes dents tendues d'un grand rire. Le baseball étend ses grandes jambes jusque dans la danse des rues parisiennes. Les enfants s'amusent et jouent à faire comme ci. Tu ne sais pourquoi, tout ça te ramène, sans le vouloir, au p'tit bar de Disraeli où le patron jouait de la guitare au beau milieu d'une grappe de barbiers, facteurs, plombiers, cultivateurs et autres raisins du même cépage, pendant que sa charmante épouse servait la bière à la limite même de son plantureux poitrail. Ne me demande cependant pas pourquoi tu viens de penser à elle. Au Ticon, tu demandes nonchalamment un demi Kanter au nouveau garçon qui, ne prenant même pas la peine de comprendre ce que tu articules, s'amène en compagnie d'une Carlsberg. Tu refuses par principe et on t'apporte ton bu. L'étonnement apporte toujours sa flagrance d'ambiguïtés.

Ainsi, Arthur Rimbaud, crèchant à l'époque au 10, rue de Buci, aimait, dit-on, se promener flambant nu comme Gros-Grain l'alchimiste et lancer ses vêtements du haut de sa fenêtre afin de provoquer l'attention fortuite des passants et de se faire, par la suite, expulser de son gîte. N'eusse-t-il connu, en son temps, le Saint-André, à quelques pas de là. Autel, tout de pierres philosophales taillées, où on entend l'écho des litanies de

Syracuse dans les sombres corridors d'un collège imaginaire. On peut aussi bien y passer une soirée à picoler avec quelqu'un mort depuis 12 ans... ou parler avec les murs.

66. SUITE... (pour une main coupée de la réalité)

«C'est la personne qui m'aime le plus sur terre! confia la familière cliente à madame Julienne, en avisant une chatte dans son panier.

— On n'est jamais déçu par les bêtes... répondit mollement Julienne-Andréa.

— Oui, mais quand elle était en chaleur, je l'aurais tuée... Je lui foutais le cul dans l'bidet d'eau froide et dix minutes après, elle recommençait à miauler... elle aurait réveillé tout l'immeuble!»

Un couple paraplégique passa, heureux, goglu et se tenant par la main!... J'entrevis dans ma tête, sans aucune raison apparente, le Docteur Lajoie-dans-le-sommeil examinant la queue de Gros-Grain, rue Grégoire-de-Tours, devant les phares tout étonnés d'une bagnole en attente. «Chie dans ta caisse, mon pote!» cria une voix dans la cohue, en ramenant la réalité à la bonne date, à la bonne heure, sans s'en douter...

67. RACINE, PEAU ET TICS

Ne pas désarmer! disait une misérable fée à un bétail de misère et de compassion...

«La poésie, puisée en elle-même, n'est rien d'autre qu'un moyen d'expression et de désenvoûtement de la réalité. Puisée en soi? Sale boulot!» déclara Racine, face à l'abstraite scénarisation de ses griffonnages.

Racine avait le crâne totalement occupé par sa muse. Elle l'enserrait de toute la fermeté généreuse de ses cuisses. Il la sentait à mots cachés. Quelques perles de rosé le ramenèrent à l'aube de ses pensées. Pensées du samedi matin. La veille, dont il traînait encore les séquelles, s'était avérée une magnifique mise en scène. Le hall du Saint-André, débarrassé de son américanisme d'occupation, s'était ouvert comme une fleur symphonique, comme une vulve sans toit ni lui. «J'aimerais tant voir Syracuse...» chantait hier Frédéric le mystérieux pensionnaire du Cameroun et Racine l'avait bien vue... avec ses colonnes de lumière verticale et ses arbres en fuseau. Il n'en gardait que le reflet harmonique, ne tenant pas compte de la corne d'abondance sous les formes. Fallait-il voir a travers les choses? Il entretint sa vision jusqu'au petit restaurant chinois de la rue Mazarine où il aimait bien aller griffonner sur la nappe tout en se nourrissant, légèrement arrosé de rosé, dans une paix goûtée. Quelle folie d'avoir à traîner son corps pour faire vibrer son âme! Cependant, ce restaurant était pour lui d'une inspiration immanquable, féconde, sereine et discrète. À tout coup, Racine en tirait quelque chose... Des tics de coin de table ou des flottements de bulbe rachidien. C'est ainsi qu'il écrivit: «Entrez dans ma modeste demeure!» dis-je à la femme de chambre...

68. AUX PRISES AVEC LE YÂB

Cris et gémissements internes. Crispations étranges en réponse: échos de luttes dans la 31. Désœuvré, le diable sort en claquant la porte, soutenu par l'escalier. «S'ils ne veulent pas de moi, tant pis pour eux! Je retourne dans le grille-pain...» Et c'est reparti avec une «33». Record! Ce soir, comme je dîne chez Henri, j'ai besoin d'un bon fond, d'une bonne piste de décollage. Bétonnée à souhait, entre les couverts. «Le dégouloir en pente» précise Rébillard en ouvrant le vasistas. «Un œil de perdrix!» cligne-t-il aussitôt, en riant. «Alors monsieur René!... Comment ça va? À tout à l'heure, monsieur René!» Rébillard court de tous côtés, en roulant sa bille, sa bouille et son pied rare. Il repasse avec une assiette de charcuterie. Finalement, j'ai bien fait de sortir moi aussi de la chambre infernale. Mon démon se calme. Il doit être cinq heures du soir, d'après mes pulsations... Ça sent le chocolat à la vapeur. Rébillard vient d'en faire un pot, qu'il brasse maintenant d'une cuillère avertie. Le vieux, à mes côtés, en est à son troisième rosé. Il prend du mieux, comme on dit... Lui aussi relâche sa torture, à mesure que le soir se lève sur une fille à trois yeux qui marche en souriant, béate. «Moi, si j'bois du café, j'suis comme un cabri dans l'comptoir après! sautille Rébillard.

— Faut boire du cidre!» avise le vieux au rosé fou pendant que la foule s'accentue devant l'œil de perdrix.

Me surprends-je à fixer l'enseigne de la rue Bourbon-le-Château? Me voilà bien reparti! Un p'tit café? Non? Pas de café? Oui... por que no?... ensuite, c'est promis! Je retourne me battre dans un flot de boucane, sous d'obscurs éclairages. Mais il me faut quand même être présentable pour m'introduire chez l'espiègle Henri, ce soir, afin de pouvoir m'envoler convenablement tout en surveillant ses agissements en ayant l'air de rien. Déjà mon regard baigne dans l'huile de castor. — «Quatorze francs!» Satan m'appuie de ses suggestions; je paye la note tandis qu'une fille se moule un passage vers la sortie. Une satanique accalmie la suit.

69. NÉCROPHILE À PART

Andréa vivait avec trois poules, trois lapins, six cochons et quarante-deux sortes de savons différents. L'Arche de Noé publicitaire. Loin du monde glacial et propre. Monde moderne inondé par le déluge judéo-chrétien qui délava autrefois tant de cerveaux du vice et de la perdition. L'assassin suicidaire s'en fut, s'éloigna en laissant Jim Morrisson inerte à l'hôtel de La Louisiane, à deux pas d'ici, traversant des montagnes de froideur pour aller finalement se reposer au sempiternel Père-Lachaise. Curieux siège, curieux dossier. Curieuse cité des morts, toute en arrondissements hiérarchiques. Curieux monde séparé même dans la mort, snobisme creusé entre la fosse commune et les Champs-Élysées des élus. Édith-la-grande, pour sa part, hante une ville dortoir, à la marge même de son Belleville natal, dans une discrète niche où l'on peut lire: «Madame Sarapo revient dans cinq minutes. Prière de prier discrètement en attendant»... Monsieur Molière est en vacances mais madame Signoret vient tout juste de le remplacer. Et moi-même, je ne me sens pas très bien...

Nous voici maintenant — suivez le guide! S.V.P. — dans le petit cimetière local de Montainville. Et voilà la tombe d'un ci-nommé André Raimbourg, alias Bourvil. Approchons-nous doucement de la plaque tournante et demandons à ce cher Saint-André: «Qu'est-ce que tu dis? Pour sûr... j't'ai pas offert de fleurs!» Partons alors tout de go, de cette démarche calme et débonnaire, boire une belle «shot» d'absinthe au Cluny, à la santé hyperfragile de monsieur Baudelaire... Tout en chantonnant «La ballade des cimetières» de tonton Georges et en expirant du soupir des anges fous... avec les facultés universitaires affaiblies du jeune trompe-l'œil qui erre tout seul, tout sot et tout saoul dans la ville des vivants. Des trompe-l'époque, des trompe-le-temps, combien cette ville en avait-elle connu? Depuis toujours, l'esprit chauffé de l'enfer s'émanait de l'abîme et y sifflait son message d'outre-tombe: «Mieux vaut colère-au-sang d'une bestialité idéalisée, engagée et pleine de vigueur, que servile sensiblerie.» Qui voudrait attaquer maintenant la vie publique en vagabond inconfortable? Ça veut rien dire! Comme chantait jadis Jean-Pierre Ferland, que j'attends depuis une heure au Ticon: «J'aime mieux mourir ma vie que vivre ma mort...» Et je prie discrètement, en attendant...

70. PARLONS SPORT!

Perdu dans ses pensées, Archange, l'ange cow-boy (Archangelo, pour sa maman), reniflait son bouquet de Muscadet. Des fleurs pour célébrer son premier mois d'exil parisien. Un air de flûte enchantée. La grosse tortue qui le poursuivait sans cesse comme un mauvais génie lui jetait de temps en temps des regards saouls pesants, à travers une ribambelle de sulfureuses chansons d'amour coulant du juke box... «Je suis morgane de toi...» À ses côtés, de joyeux fêtards du dimanche soir jouaient au flipper «Ice fever». Archange regardait la machine comme s'il s'eût agi d'une télévision allumée par erreur, vaguement pendant une partie de hockey. «J'excelle à ce jeu!» dit un joueur. Il pouvait même perdre. C'était permis. Quelle aberration que l'idiotie hypnotique illuminée d'une télévision! Archange voulait bien patiner et, comme tout bon sportif, alla stocker un spaghetti dans son sac à digestion, avant la performance. Carbonara, s.v.p.? Demi-litre de rouge pour aiguiser les patins... Demain se jouait la grande gamme. Les Italiens gargouillaient leurs opéras permanents, leur *commedia dell'arte* viscérale, comme de vrais fanatiques de football et d'arènes. On se serait cru à la taverne «Campioni del mondo», cependant que les Américains jouaient au scrabble dans le hall Saint-Andréen. All american boys du dimanche au soir... All in the family. (Le Nazet is closed, don't you remember?) La radio hennissait des insanités à faire galoper n'importe quel étalon... Italian boys, were running everywhere. On pouvait sentir l'alcool et les réflexes lutter mollement ensemble et l'exercice de leurs fonctions était aussi discutable qu'une langue dans la bouche d'une autre. Salive pétillante, papilles nerveuses, œil averti (en vaut deux)... et odeurs italiennes. Tout corps détendu, les couples s'embrassaient, à un bon corps défendant de distance...

Alors! n'écoutant que sa voie folle, sublime de discipline, Archange survola le grand marathon des sens... sur un rush sanguin impossible, dans une montée d'effluves et d'efforts psychophysiques surhumains. Cherchait-il à se débarrasser de son corps?

71. QUAND UNE NUIT BLANCHE SUR FOND NOIR

Je ne dors jamais le dimanche... «Meurtre et viol au coin de Saint-André et Sherbrooke», annonça Noisette dans sa lettre. Sans doute le singe qui frappe encore! Il y a un paysage lunaire insomniaque où court un chimpanzé dans ma tête...

Pauvre bête ancestrale! (on l'appellera Didier) brisée dans son corps et dans son cœur, déchirant l'affection passionnée retenue dans ses glandes et incapable de l'exprimer le long des rues tortueuses de sa nuit blanche... Comme un animal blessé regagne sa tanière avec l'âme meurtrie, pour ne pas dire broyée de dépravation, Didier revient au lieu même où sa conscience malheureuse aux yeux fermés se repent de sa damnation glorieuse. La température abrupte et sage a suscité en lui une nervosité insomnifère. Didier, la bête extrémiste, assoiffée et étrangère à la modération du juste milieu est déjà mutilée d'avance... Son subconscient prend la métaphysique forme d'une poignée qui le happe par en-dedans. Peut-il vivre dans une caisse, capable de donner de la tendresse mais incapable d'en recevoir? Le singe farouchement païen qui se cache dans la caisse, entre la colère nerveuse et l'attendrissement angélique, surgit dans la luminosité naissante (par la fenêtre, derrière les rideaux)... Tel un rebelle isolé, difficile à suivre dans ses propres pérégrinations et condamné à souffrir de l'effondrement, il attend de dormir... Mais le sommeil ne vient toujours pas! Impossible pour Didier de se laisser emporter loin des folles confidences répétitives que lui fait le silence... C'est bien simple, j'voudrais pas être à sa place!

Homicide involontaire agonisant, mon Didier de singe dort décidément mieux quand il a bu. Bourré et bourru. Là, il est tristounet! Pauvre petit Didier!

72. L'HISTOIRE D'URINE FACILE
(... pour endormir Didier)

«Hé les enfants! Vous voulez connaître l'histoire de la fée qui pissait partout la nuit? Tellement que dans son pays on l'appelait Urine Facile?...

— Ui! Ui! Ui! Ui! Ui!

— Celle qui pissait partout dans les escaliers, sur le canapé et sur la moquette, comme Didier???

— Ui! Ui! Ui! Ui!

— Urine Facile qui peut pisser sur le plancher de l'étage supérieur et faire tomber la pluie acide sur ceux qui vivent en dessous de son rêve. Somnambule à souhait, Urine Facile rêve qu'elle pisse... et elle pisse. Partout. Dans le frigo, sur le fauteuil... pour aller ensuite s'endormir dans les toilettes. On l'a vu pisser debout en rêvant qu'elle pissait couchée. On se demande où elle se ramasse quand elle dort... et puis, on met les pieds dans une flaque. Urine Facile pisse et ne s'en souvient pas... Peut-être rêve-t-elle qu'elle est une cascade? ou un amnésique jet d'eau? On ne sait jamais quand ça va arriver. Tout à coup, le divin relâchement se fait. Et Urine Facile coule, comme un conte goutte pour endormir les enfants.»

Prends ta guenille, Urine Facile... et essuie les pistes, S.V.P.

73. JOURNÉE KAMIKASÉE

Ils passèrent inévitablement devant la chambre 32 où l'Américaine au furet brillait par son absence: ils s'en rendirent joyeusement compte, d'autant plus que la femme de ménage se préparait de toute évidence à aller «faire» la dite chambre. Elle laissa là sa balayeuse extraterrestre en la poussant du pied, enfonça, d'une main ferme et sûre, la clé dans la serrure et ouvrit doucement la porte. Henri et Yo en profitèrent pour jeter un coup d'œil amusé en direction du furet qui se terrait sous le lit, pointant quelques fois le museau en leur direction, avec la formelle intention de s'esquiver par l'entrebâillement. La jeune femme de ménage anglo-saxonne referma maternellement la porte pour l'en prévenir. Les deux compères s'en allèrent, d'un pied quadruplé. Chemin clopinant, à travers les époques de leur parcours, ils s'arrêtèrent un moment dans le jardin de Versailles s'y faire voyeur des fornications royales et gaillardes de leur bande dessinée commune. Ils esquissèrent une rigolade intérieure à voir courir courtisans et courtisanes nus dans les sous-bois, attirés par l'intempestif besoin. Sur ces quelques scènes loufoques d'époque, Henri et Yo, dont tout s'était passé dans le jardin imaginatif, ralentirent leurs pas, le long de la Seine...

En bordure du quai Voltaire, ou dans les environs, ils s'arrêtèrent devant les galeries d'art pour faire la jasette aux portraits sur toile.

Nos deux super héros longèrent encore un peu leur périlleux «cartoon». Dans une autre vitrine cependant, l'heureuse vision d'une sculpture représentant une femme-chien leur fut révélée. Heureuse vision qui joint l'utile à l'agréable. Henri crut bon de retenir ce flash pour le développer dans son roman, *Les treize portes*, dont il n'avait jusqu'ici écrit que le titre, tellement il était incapable d'écrire une histoire qui se tienne.

On était le 22 octobre. Henri, comme Robinson Crusoé, s'était dessiné un calendrier, le matin même. Comme toujours, il n'avait aucune idée de l'heure courante, mais il voulait bien savoir le jour où celle-ci courait... «Au Bon Accueil», le bistro jaune, ils firent halte. L'asthmatique petite madame leur servit volontiers le muscadet pendant quelques heures, en s'informant de la santé de Philippe Leclerc.

«Son asthme se porte bien!» assura Henri. Et voilà la petite madame qui nage dans la cortisone... parlant de toux et de reins. Quelle journée éreintante! Journée kamikasée.

Piqués par les atomes crochus qui mettent les compères en symbiose sous la cape de Satan, ils partirent, greffés à leur violent besoin d'amour.

«Pour faire tripper le furet, proposa Yo You, achète lui une perruche!

— Il en a déjà une!» laissa tomber Henri, en mourant d'originalité.

L'Histoire se répète et à force de répéter, finira-t-elle par faire un bon show?

74. UNE ENQUÊTE DE L'INSPECTEUR ÉPINGLE

Press me down, please! pouvait-on lire sur la chasse d'eau de la bécosse du 5e... slowly please!!! Épingle, Babache et Henri se retrouvèrent en pleine mission spéciale à la campagne... En pleine campagne missionnaire. L'inspecteur Épingle, aux allures mi-Clouzot mi-Columbo, avec sa gabardine neuve, menait l'enquête. Il s'agissait ici de se renseigner, et d'obtenir même le maximum d'informations sur les cadavres de bouteilles de vin qu'on ne manquerait pas de découvrir le lendemain matin si on les «spotait» bien la veille, au soir tombant.

Le début de l'aventure s'avéra d'un calme effarant. Les Corde-à-linge habitaient la banlieue, à quelques kilomètres de Paris. La conversation se fit donc polie, dès le début. Madame Corde-à-linge, qui portait les culottes, fit les présentations. Elle présenta dans l'ordre: sa potiche, ses fenêtres doublées, sa tapisserie, son buffet, la moquette, la balayeuse, le chien, un jeune fils insipide, incolore et dominé, ainsi qu'un sympathique mari martyr: monsieur Corde-à-linge, lui-même. Après un tel inventaire, l'inspecteur Épingle, qui notait tout dans son formidable cerveau, se laissa aller à faire croire qu'il acceptait de boire quelques apéritifs... afin de créer un climat de confiance. En devoir, seulement! Babache, Henri et lui meublèrent la conversation, ce qui fit encore plus de meubles dans le salon. Le chien se tenait correctement et ne faisait pas de caca sur la moquette. Madame Corde-à-linge l'avait prestement dompté de la même façon que la potiche et le mari. Cette attitude piqua la curiosité de l'inspecteur Épingle... S'aperçut-il qu'elle portait la culotte dans cette famille d'objets? Il décida d'aller y voir de plus près.

Le dîner eut lieu sans graves incidents. L'austérité froide du lieu retenait encore les guides de la conversation. On sentait, par ailleurs, qu'il y avait anguille sous roche, qu'un retour de délinquance était dans l'air... Babache et Henri furent touchés par la triste condition du fils Corde-à-linge et, en bons travailleurs sociaux de leur état (d'ébriété qui prenait place), ils décidèrent de lui donner la chance de s'épanouir et de s'exprimer, pour une fois, hors du carcan maternel. Monsieur Corde-à-linge, bien que ne portant pas les culottes lui-même, gagnerait bien un peu à flotter au vent fou, lui aussi! Le lapin s'avança, servi sur un plateau garni, avec de la sauce brune «on the side». On mastiqua lentement car le lapin, si agile de nature, peut être un animal plutôt coriace dans une assiette. Au beau milieu du repas, après à peine une bonne lampée de rouge, Henri déclara à la maîtresse de maison: «C'est du christ de bon dinde!» en éclatant de rire, de sa bouche pleine. L'inspecteur Épingle fut aussitôt pris d'une hilarité folle qui se répercuta bientôt sous les traits de Babache, de la potiche, du chien, de la moquette, du père et du fils. Amen. Tous subissaient le charme du «beau dinde gras» sauf madame Corde-à-linge, évidemment, qui, n'y comprenant rien, s'obstinait à rectifier: «Mais enfin... c'est du lapin, ce n'est pas de la dinde!» ce qui ne fit qu'amplifier la situation. L'inspecteur Épingle remarqua aussitôt, dans sa perspicacité légendaire, que madame était du genre plutôt susceptible et que la soirée s'annonçait pleine de promesses. Il finirait bien par lui tirer les verres du buffet et les bouteilles du sous-sol. Monsieur Corde-à-linge descendit discrètement à la cave, à pas feutrés, ferma la porte derrière lui, et revint deux minutes plus tard avec deux autres bouteilles. Curieux indice! Deux par deux, nota l'inspecteur en louchant... Les invités étaient déjà à leurs marques et le désordre du départ fut donné, à huis clos. L'intrigue fit le reste. On en vint tranquillement à oublier la potiche, la moquette, le chassis double, la tapisserie, la dinde et l'hôtesse, pour se concentrer uniquement sur les choses sérieuses: la farce et surtout le vin. Quelques cadavres apparaissaient déjà, mais pas assez au goût de l'inspecteur. Il fallait passer aux actes!

Le fils et le père riaient comme ils n'avaient probablement jamais dû le faire depuis des siècles. Amen! Madame Corde-à-linge se retrouva quelque peu neutralisée et c'est probablement pour cette raison que l'inspecteur profita de la complicité du moment pour accompagner monsieur à la cave, pour quelques vérifications d'usage. Il y alla dru. Et ressortit quelques instants plus tard, suivi d'un monsieur Corde-à-linge impuissant, armé de trois belles bouteilles poussiéreuses... À peine quelques protestations de la part du témoin, quelques bafouillages inoffensifs prouvèrent, sur-le-champ, son innocence et on procéda à l'autopsie des futurs cadavres. L'enquête fut menée énergiquement et d'une main de maître. Bientôt l'inspecteur fut dehors et, selon son habitude, inspectait les alentours de la maison... On ne sait jamais!

On ne le vit réapparaître que le lendemain matin, tout fripé, la gabardine pleine de foin, la chemise sortie des culottes. On raconte qu'il s'était endormi dans le champ, devant la douzième victime. Il repartit à bicyclette et disparut à l'horizon...

75. LE MONONCLE BOIT ROUGE

Je suis occupé à me ressourcer aux mamelles de la mère patrie en mangeant un poulet à l'ancienne. À l'écoute de mon accent, un joyeux poivrot, en lequel je me suis tout de suite reconnu, s'approche pour me faire la conversation. Je l'adopte aussitôt. Une gueule à la Paul Meurisse mais avec une grimace en caoutchouc, en plus. Quinquagénaire, il a vécu au Québec pendant la révolution tranquille. «Y paraît que quand vous entendiez parler les Français, à cette époque, vous nous preniez pour des pédés...» Tout y passe. Rue Sherbrooke, rue Saint-Laurent, rue Clark, rue Sainte-Catherine... Eaton, Simpson's... «Il y avait aussi un grand magasin francophone, comment s'appelait-il? — Dupuis & Frères! Il a fait faillite depuis...» Ah! Place Ville-Marie... «J'ai été dans les tavernes deux fois en dix-huit mois et ça m'a dégoûté. Les gens boivent comme des trous, bêtement... À la table d'à côté, un mec demande douze pots d'un coup pour lui tout seul, tu te rends compte? Il est sorti à quatre pattes sur la rue Sainte-Catherine. Le waiter... — c'est bien comme ça que vous les appellez? — prend le gars par la ceinture et le fout au fond du taxi comme un sac de pommes de terre... J'ai demandé un demi et le waiter m'a répondu qu'ici on ne servait que des complets... Hypocrisie britannique de boire en cachette! Un jour, il est dix heures du matin, en plein mois de juillet, il faisait très chaud... J'entre chez Steinberg, comme vous dites... la grande épicerie juive, et j'achète quelques Molson. Il faisait très chaud. Je demande qu'on me débouche la bière, la nana est affolée et me l'ouvre finalement mais je dois la cacher dans un journal... Complètement con! et me voilà, à la boire dans un coin en surveillant la police. Quel pays de sauvages! Et il faisait très chaud, en plein mois de juillet... En revenant de chez Steinberg, j'arrive chez moi... j'habitais à Outremont, rue Plantagenet (les Plantagenet ont donné naissance aux Anglais; ma famille se bidonnait quand je leur ai dit que j'habitais là...) et je rapportais quelques O'Keefe ou Molson à la maison, de toute façon c'est toute la même petite bière blonde... Y a un gars qui me dit: «Voulez-vous appuyer sur ma sonnette, je n'ai pas le droit?» Y s'fout d'ma gueule! que j'me dis... C'était un Juif, et on était le jour du Sabbat... un Juif à chapeau de fourrure et à papillons autour des oreilles... Ils ont le droit de pisser, le jour du Sabbat, mais pas de tirer la chasse... J'avais un camp, comme vous dites, dans le coin de l'Estérel... J'allais à la chasse et l'hiver, on cassait la glace pour le café...» Ainsi parlait Paul Meurisse, le temps de quatre demi-litres de rouge à deux. À la fin, je suis écroulé de rire sur la table. Et lui, il pense que je le prends pour un con. Moi, je meurs encore plus... Qu'importe! Ce Paul Meurisse est super drôle et je l'entraîne au Ticon, pour le café. On se quitte plus tard, après d'étranges échanges d'adresse, en nous disant: «Je vais essayer de transporter ma matière grise du mieux que je peux...

— Toi, t'es amusant!» qu'il me laisse, en partant...

76. FERMETURE

Les lumières s'écrasent tranquillement sur le bouquet de glaïeuls du comptoir et la machine à peanuts te fait des clins d'œil... T'aurait-on encore enivré à ton insu, Henri, diantre? L'heure est claire obscure et le bar est jaune foncé. Reflet sans doute du zinc demeuré dans l'ombre? Les garçons font les comptes. Leur soirée est faite, terminée. Cyntho pousse la machine à boules pour faire le ménage. Il est très tard. Les jeunes lycéens discutent fort, stiff comme des Bar-B-Q... «Tu vois, par exemple... Sylvie!... Après tout le mal que j'ai pu lui faire, elle était là... Elle a dit à ma mère: il est excusable!...» pleurniche un gars d'une extrême sensibilité à son copain. Je t'imagine: il y a déjà deux heures que tu discutes de la pluie et du beau temps avec Henri, le sourd-muet. Des signes, des grimaces, des contorsions. Le langage alcoophile international quoi! La perception indépendante et privée de chacun à travers la communication gestuelle.

C'est fou! Henri, avec ta grande moustache mélancolique, tu es le moins pleurnichard de tous! On se croirait en plein film muet. Tu es complètement vasé et tu ne sais plus très bien ce que tu racontes. Petit stop au Nazet, en passant... Y a Johnny Hallyday à la télé, en clip... Pauvre monde! Tu ne peux t'empêcher de laisser passer les commentaires plates qui sortent tout seul de ta grande gueule bourrée. L'entourage t'endure. Un muscadet ambulant... À côté de toi, un Congolais gueule dans sa langue maternelle et on le regarde d'un drôle d'œil. Informations à la télé, maintenant... «L'ONU, l'or des vainqueurs de la guerre...» L'Afrique du Sud entretient encore la tension... «On ne me permet pas de faire des gestes devant le patron!» hurle le golais con pour la vingtième fois. Ça y est! Jeannot en a plein le cul et crisse le nègre dehors. Une petite dernière au Chy. À ce qui nous reste de santé!

Demain on rajoute un 4 aux numéros de téléphone.

77. ARRIÈRE-GOÛT, ARRIÈRE-PENSÉES

Cela se passait à Rethel, près de Reims, en fin de voyage. C'était la dernière cène sur scène. Le spectacle avait été des plus mongoliques. Cette jeunesse de boudin blanc ne mériterait sûrement pas le prix Nobel du comportement animal. Jésus avait dû, encore une fois, manifester sa désapprobation en sautant sur quelqu'un dans la salle. Pendant qu'il palabrait sur scène, une pécheresse s'était carrément plantée devant lui en le traitant de pédé. Une fois, ça va, deux fois, trois fois... Mais à la quatrième, Jésus déposa son électrique fardeau sur son support crucifère et se propulsa, d'un seul jet, sur la donzelle pour lui prouver par la subtilité qu'elle aurait pu mieux se renseigner avant de lui attribuer ce sobriquet sexuel si sélectif. Il la traîna par la fourche et étira ses seins nourriciers d'une main ferme pour qu'elle s'en souvienne bien. La réaction de l'entourage fut de l'ordre d'un rassemblement d'escargots... Bof! Le spectacle prit fin et les escargots sortirent en rang étonnés.

Une grande table fut dressée sur scène, recouverte de victuailles diverses, de pain et de vin, de camembert et de chocolat. Jésus y prit place avec ses vilains disciples et quelques mauvais compagnons. Il y en avait de toutes les catégories, à ce banquet... Des borgnes-au-beurre-noir, des boiteux capotés dans le sirop, Saint-Alphonse y était aussi, Saint-Dominique, Saint-Jean-le-Philantrope et Sainte-Christine, Poulet-Chasseur... Il y avait aussi le fou du village qui ne devait pas boire, mais dont Poulet-Chasseur remplissait sans cesse la coupe. Ils étaient bien là une vingtaine de bons apôtres à s'emplir la panse en s'abreuvant au sang du Christ. À la droite de Jésus, une espèce de Saint-Pierre barbiturique et barbu roulait sans cesse des trompettes de Maurice, lesquelles se promenaient de mains-à-mains et de bouches-à-bouches autour de la table. Le cénacle devint alors complètement emboucané. Jésus, profitant de l'épanchement collectif, se mit à rouler des joints de camembert-tabac et de tabac-chocolat. Le succès fut instantané et personne ne se rendit compte du changement. Poulet-Chasseur tirait sur son pétard de camembert, à en perdre haleine. Ses petits yeux bleus en étaient tout rouges. Un peu dur quand même! pleura Jésus...

La fin du repas s'annonça d'elle-même... Jésus en avait plein l'cul et voulait crisser son camp. Saint-Pierre-le-rouleux s'approcha alors de lui et lui tint cet anodin propos: «Tu t'en vas? On aurait bien aimé communiquer avec toi davantage!» Pauvre Saint-Pierre! Le temps est court mais il passe si lentement quand tu es enfant... Par contre, à mesure que l'âge s'étire, il court en longueur en passant plus vite. On s'aperçoit alors qu'on n'a pas pris le temps, que c'est lui qui nous a pris. C'est un peu l'Europe et l'Amérique: la vieillesse enlacée en profondeur, lourde de cultures, et la futile mousse libre-courante de la soif nord-américaine. On perd beaucoup de temps dans l'inutile insolence et la rébellion... D'un côté Rimbaud, de l'autre Rambo. Tout est là!

78. LE PASSAGE DES HIRONDELLES

Elle arriva, belle comme l'imagination, par le passage des hirondelles et repartit saoule au vent d'amour. Cloué à l'unique baiser unique, Jésus se frottait les yeux avec la vigueur d'un sacré cœur pendu par un bras. Avait-il rêvé? Il se retourna, Bruno était endormi à ses côtés avec une barbe de six jours... et le serrait dans ses bras en l'appellant Rodolphe. C'était le matin, Bruno cherchait ses lunettes autour du lit et Jésus cherchait ses dents... Wow!

Un flot d'hirondelles s'abattit sur son crâne dans le gouffre du souvenir de ce baiser. Le foin bougea...

«Avant que ma jeunesse s'use
Et que le printemps soit parti
J'aimerais tant voir Syracuse
Pour m'en souvenir à Paris»

... c'était Bernard Dimey. L'âme chantante des fonds de bouteilles reprit le dessus et Jésus repartit faire peur aux petits didiers...

79. DIMANCHE APRÈS-MIDI À LA VILLE

Voyons ces œufs au plat qui te lorgnent de leur regard jaune ce matin... Tu les crèves aussitôt d'un bout de pain, pour qu'ils cessent de t'espionner d'une si bilieuse façon. Ta carcasse fatiguée pompe l'huile. C'est dur d'écrire sur les riens de la vie! Archaïquement, tout ça donne un peu dans le genre achalandé... c'est-à-dire qu'il y a beaucoup de choses dans la boutique. Tu as même peur que le monde te parle, qu'une cliente t'aborde. «Sachez, mon cher, que j'ai de nombreuses qualités... Je sais que j'en ai au moins une... et quand je l'aurai retrouvée, je vous appelle et on ira boire un verre!

— Moi, je suis parti depuis demain...» réponds-tu en butor que tu es, prêt à t'envoler. Les dimanches ne te réussissent jamais. Tu aimes mieux la nitroglycérine et les lundis... pour le cinéma!

«Être en amour n'est pas l'amour... tente-t-elle de te rassurer dans sa boisson ardente. Ce n'est qu'une maladie sexuelle du cervelet.»

Dimanche, Jésus essaya de se reposer, ne but point et ne dormit guère, comme d'habitude... (serait-ce ti Satan qui le tourmenterait?) Le bonhomme, donc se reposa, le septième jour... Un gargouillement d'enfer travailla son bas-ventre. Un croque-mes-couilles, comme dirait Saint-Daniel. «Mille pigeons de mille pigeons!!! C'est quoi que t'as à dire au juste? As-tu au moins quelque chose à dire?» Tu lis *L'Événement du Jeudi* de la semaine prochaine, dans le hall, en attendant la semaine des quatre jeudis. Mais le temps passe tellement épais, penses-tu... Odile te parle de la passion qui fait perdre la tête et empêche de boire et de manger. Le démon du midi fait des ravages à cinquante ans, dit-elle. «Seigneur!... M'empêchera-t-il de boire ton saint câlice?»

Caussimon est mort... comme monsieur Williams. Terrassé. Le diable se prend pour ton barbier et t'appelle. «Séville! Tu brûles!» Et toi t'y cours... t'y vertiges... et t'y chancelles. Ton étreinte est grande. Mortelle, même... Vite! arrosons le vilain démon...

80. HENRI VALISANT

Henri fut assailli par une espèce de punk-zagadou cinglé. Alors, n'écoutant que son amour, il lui colla les épaules au sol et lui roula une super pelle dans la gorge, un french-canadian kiss... Mais c'était foutu pour la langue qui était tombée par terre. La revanche des Henri avait lieu chaque soir, dans des tournées interminables qu'on était toujours un peu peiné de terminer, à la toute fin. Soleil, pluie, crève, douleurs rhumatismales et névralgiques, brûlements d'estomac, gaz fessiers grossiers, fatigue, coucher-tard, lever-tôt, kilométrage agglomérant, ivrognerie permanente, lendemain de la veille... Rien n'arrivait à tarir la bonne humeur de ces mauvais compagnons. Henri y allait bien quelquefois de son: «Cré vin dieu de putain d'merde» habituel, mais cela ne faisait qu'agrémenter la douloureuse situation. La route se déroulait devant eux comme une bobine de film, un film toujours passablement drôle. Il est vrai que la projection venait de la cabine même du camion... et que les spectateurs en étaient souvent, en même temps, les acteurs. Trève de plaisanterie! Mourez, braves gens! Les Henri arrivent en ville. Tendez vos glandes lacrymales aux radiations! Dilatez vos lunettes! Les Henri viennent faire le plein en vous remplissant. Donnez énergiquement!

À Cherbourg, au pays des parapluies, les douillettes en avaient grelotté toute la nuit, dans leur moyen-âge. Tellement, qu'à la ferme, chez les Stroumpfs, le bébé en était bleu, en plein mois de décembre.

81. RÉCHAUFFEMENT

C'est en évocation des soirées passées chez Omer, en compagnie d'Omer et d'Ugène-le-bien-né, qu'Henri sortit, en grelottant, dégivrer un petit Sauvignon chez Julienne, à la santé des absents.

«Ah!... Mais vous êtes habitué! Y fait bien moins cinquante chez vous... clama Julienne en voyant tremblotter le verre d'Henri.

— Chez nous, on se fout la neige dans l'nez, mais ici y fait froid par en dedans...»

Madame Julienne discutait calmement avec madame Grosse-Croustille. Ça parlait de chiens et de chats, de la difficulté de vivre à deux, de la vie en général et de l'amour en colonel... La p'tite vendeuse de fleurs d'à côté s'est pendue, elle aussi? Non, elle s'est rendue... Ah! cet accent! Elle s'est rendue chez son patron qui l'a charriée un peu: «J'te r'tiens pas! Si t'es pas contente, tu t'en vas!» Mais, elle, c'est le principe qui lui plaît pas... Elle est bien propre et toujours à l'heure. «Faut pas faire marcher les gens comme ça!... Les vendeuses, elles sont pas bien au courant de ce qui se passe, vous savez?» La machine à chocolat émit un râlement de renvoi suraigu, un gerbage supersonique. Henri commençait à se sentir mieux, à s'échauffer les sens. Il demanda un autre Sauvignon et retourna s'asseoir à la petite table, à côté du radiateur débranché. Cette fois le verre trembla moins dans sa main. Henri put se tricoter un chandail intérieur. Un pull-under. Des amoureux sortirent en direction de la rue du Cherche-midi, après s'être fait longuement expliquer la route par la mère universelle elle-même, la mappemonde du lieu. Il était environ cinq heures et demie. Les badauds-à-baguettes passaient, armés pour le combat du soir. Goutte-à-goutte, troisième Sauvignon. Henri régla la note. La douce lumière du soir buvant teignit le portrait en sépia. Octobre 1942. La belle Allemande, frisée et blonde, au pantalon rouge moucheté noir, ne se doutait certainement pas qu'Henri avait reconnu en elle Lili Marleen. Elle avait beau se déguiser et prendre un air quelconque, Henri n'était pas dupe...

«J'ai plus le temps de peindre, déclara l'artiste. Je fais un film sur les autres peintres et je n'ai plus le temps de peindre, moi-même. Donnez-moi un p'tit coup et j'vous donne des sous! Vous viendrez au musée dimanche, Julienne?» Julienne, ne sort jamais le dimanche. Sacré gamine!

«Y'en a qui en reviennent des toilettes, des fois?

— Y'en a qui en reviennent pas! Je sais que c'est très dangereux d'aller par là...»

Les phares des autos devinrent d'un jaune pisse de plus en plus vitaminé. Le ciel bleu marine laissa voir sa première étoile dans la brèche de la rue Nazet. L'étoile du matelot. Les gens, oiseaux de passage, se pressaient dans l'angle aigu au coin de la petite rue... devenant peu à peu des oiseaux de nuit. Un certain calme régna soudain. Henri vida son verre et sortit.

82. LE JE EN NOUS

La marée baisse et libère le ciel. L'eau troublée laisse redescendre sa grenaille. J'ai la tête comme une boule d'eau enneigée avec un Sacré-Cœur de Montmartre dedans. Le surplus de cochonneries redescend vers le bas, vers la cave, et le dôme devient plus clair... Les lucarnes se purifient d'espace plus limpide. «Nous frôlons les mémoires d'un âne», glisse Max, en me servant une belle Kanter d'un or liquide transparent. Miroitante sur le zinc légèrement plus foncé. «À peu près!!!» réponds-je, en riant franchement. Comme un poisson d'avril hors saison. Nous sommes en octobre et y fait plutôt frette. Le jeune boucher, aux yeux de porcelet, joue au flipper «Ice Fever», emmitouflé dans une grosse veste de laine. Tout s'harmonise encore une fois. Tout rentre dans le désordre pertinent.

«Combien j'te dois?

— Deux mètres quarante!»

Nous arrivons chez «Orestias» où un Grec maison nous indique le chemin du mont Olympe. Il faut d'abord passer par un champ de salade verte appuyé sur une côte d'agneau, traverser un demi-litre de rouge et patauger dans la salade de fruits. Impeccable! La Grèce antique est envahie par l'anglo-saxonnie. On entend des yak-yak-yak partout. Un Oreste suisse-allemand, qui habite le Saint-André d'ailleurs, entre au bras d'une pléiade de jeunes déesses. Belles statues! Nous attaquons la salade. Un peintre londonien parle de temps pluvieux et de lumière. Même en Grèce, ils ont un intérieur de tête anglais. Nous buvons un coup de soleil rouge. Pénélope entre, suivie d'un Ulysse à lunettes. Nous avons une pensée pour Nana Mouskouri, involontairement. Nous remontons maintenant la côte d'agneau... vers le Panthéon. Nous nous battons avec elle comme de méchants loups, qui s'enfilent des petits chaperons de rouge. L'agneau est encore plus coriace que nous. Nous nous attendrissons à sa vue. Il y a trois côtes devant nous, allons-nous les gravir toutes les trois? L'épreuve est grande...

Nous arpentons la deuxième. À vol d'oiseau, nous apercevons un champs de frites... Une colline de riz orange s'effrite sous nos yeux. Nous traversons un Styx de rouge, pour silloner plus aisément la côte abrupte. Nous y travaillons ardemment. La troisième côte est entamée; c'est une côtelette, une côtelettissimette, une tumeur. Y a rien dedans que du vilain gras écœurant aux os pointus. Des arêtes. Nous aurions dû aller vers l'Olympe, à la nage, avec des poissons et du vin blanc... Mais les récifs de notre assiette nous l'indiquent trop tard. La graisse est drue, mais notre ascension est féconde dans sa difficulté. Nous contemplons les trois amas, les trois amoncellements qui restent des côtes... Nous n'avons plus faim vraiment, nous nageons doucement, vers l'île de la salade de fruits. Nous franchissons la mer Rouge, par pur hasard. Des pêches juteuses et luisantes y baignent dans un rêve éphémère de consommation.

Aussi bizarre que cela puisse paraître, nous ressortons de Grèce en compagnie du vieux peintre anglais qui est, en fait, un joyeux Ontarien d'origine, ayant vécu quinze ans à Londres, quatre à Los Angeles, deux à Paris... et bon buveur, en plus.

«Exhaustive artistic evening in fact! But, you'll have to find the walls that you don't have... to fix your paintings on it... to keep your head out of the water... (Il nous étonne! Il nous étonne!) We've got a lot to learn, not from our future, but from our own past. Security what does it give us? More of the same, more isolation, a fortress within a fortress... life without life... a safe death in life... what does it matter? if we die too soon... what does it matter? if we are damaged now... The risk is to live fully... the risk is death, the chance is life... Peut-être, there's no other... (Duncan Killen, October 1985, Paris).

— Well, Duncan... We would say that: best part of the worst is better than worst part of the best!»

Les écureuils sont des rats déguisés, en quelque sorte... rien de moins, rien de plus.

83. ENTRE DEUX SIÈCLES

Barbès-Rochechouart. Barbès est noir de monde, on se croirait à la Pointe-à-Pitre. Ça et là, une Noire regarde son rejeton avec tendresse tandis que son père, vendeur de carrosses, réajuste la couverture qui protège le carrosse de ce froid grandissant auquel ils sont étrangers. Ils savent être eux-mêmes à l'étranger au moins autant qu'ils sont étrangers en eux-mêmes. Notre incorruptible héros s'en fut au tabac, rue des Grands-Augustins, se faire couler mollement quelques belles Mönchenbraü blondes derrière le collier, au milieu du bon populo local. Savoureux énergumènes. Entre paix et terre. Entre ciel et bière. Entre deux eaux sans guerre. Entre lu et bu. Entre l'arbre et l'écorce. Entre Paris et la Varennes. Entre Red Mitchell et Francis Lemarque. Entre bal et petit bal...

Quelques siècles plus tôt, au métro Barbès, Mr Diak-Houba Souare, grand médium africain à Paris, faisait distribuer des circulaires par ses sbires. «Il vous fera de stupéfiantes révélations sur le passé et l'avenir, pouvait-on lire... Voulez-vous savoir d'où viennent vos échecs, découvrir vos ennuis, rencontrer l'homme ou la femme de votre vie, trouver le succès? Venez vite le consulter... Remarquable voyant, il vous révélera votre avenir par des moyens divinatoires originaux. Grand Marabout africain, si ton mari ou ta femme est parti(e)... tu viens ici! Tu vas le (la) voir dans la même semaine.»

«Reçoit tous les jours de 9h00 à 20h00, 26, rue Polonceau, 75018 Paris. 4.259.9181. Fond de Cour — Bâtiment Gauche, 3e étage, Gauche. Métro: Château Rouge.»

84. NOTE DE PASSAGE

Tout ça n'a aucun sens! Moi, Séville Saint-Je, radoteur, instable, vide et irresponsable, qui ne bois même pas, prétendre, un jour, mettre quelque chose de valable entre deux couvertures et écrire autre chose que les niaiseries qu'on vit dans sa coquille? On peut toujours dire: je crisse tout ça là et je vais boire un coup! Mais y a un tas de choses à régler... un tas de bêtes à vomir. J'ai l'impression d'être un mort qui tente de créer des personnages et qui ne peut les sauver, en fait, de ce qui se meurt en lui. Peut-être est-ce une aventure pour se trouver, avec tout l'utile et l'inutile? Il met des personnages au monde et il leur dit: «Arrangez-vous!» Plus il progresse, plus c'est pour s'apercevoir que l'on est tous issus de la matrice de la mer, dont on demeure toujours les enfants sacrifiés au soleil, embryons qui flottent, qui nagent et qui se noient dans le flux et le reflux. L'œil embrouillé, il suffit de se rendre compte qu'on existe et déjà on est submergé. Saoul dur.

Tout bon exilé pense que ce qui vient d'ailleurs est toujours meilleur.

Les restes! vider sa banque de mots... tordre ses vieilles émotions.

Mais pour l'instant... rien... néant.

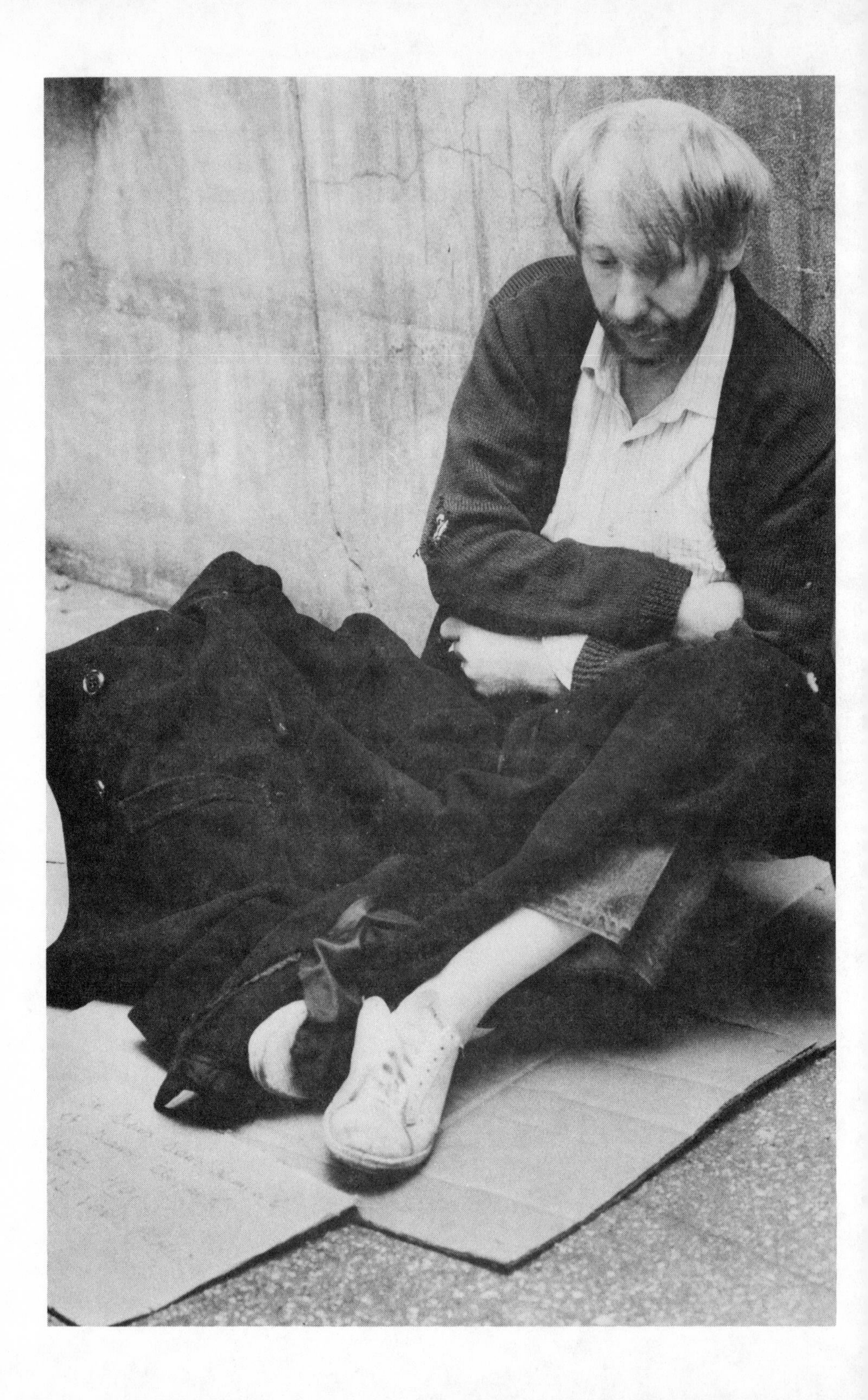

DEUXIÈME PARTIE

L'enchevêtré

85. A WARNER BROTHERS PRODUCTION

«Ta chemise ne va pas avec ton pull! Y a des plis, c'est laid! dit madame Bec-de-lièvre à son chaud lapin de mari.

— Bruno, c'est pas beau comme prénom! Non, non, non, ça fait pas breton!!!

— Une cassolette de poisson, volontiers... et une bouteille de Cahors!»

Madame Bec-de-lièvre se lève, passe entre les tables et va se chercher des crudités, suivie de son lapinot marital. Monsieur Personne a les mains jointes et regarde no-where au-dessus de sa bouteille, à travers de mélancoliques binoculaires...

«Bon appétit!» dit madame Bec-de-lièvre... «Oui!!!» répond Jeannot Lapin. «Comment ça s'est passé aujourd'hui?» «Je te sers du vin?» «Oui... T'aimes bien le Cahors?» Les bouches pleines de salades s'échangent des propos végétaux. Madame Bec-de-lièvre est juste bien placée pour manger une bonne claque dans le museau...

«Mmmm... c'est très bon! dit Bugs Bunny, en mangeant ses carottes.

— Je t'ai appelé deux fois cet après-midi, où étais-tu? T'as raccroché? T'as dit: «Ça répond pas?»

Bugs shake et chie dans ses culottes:

«Y avait peut-être une réunion?... C'est pas tous les jours jour de fête!

— Si tu m'avais pas fait ton couplet, je t'aurais dit pourquoi je t'appelais... que je me coucherais à 7 heures du soir et que ça me ferait rudement du bien!

— Tu m'dis ça en toute agressivité?

— Avec beaucoup de gens, je joue à m'engueuler...

— Bon, Didier, écoute! Je débranche mes écouteurs...

— C'est ton problème, c'est toi!»

Ils boudent pendant trois minutes...

«C'est la chaleur! dit madame.

— Je peux manger du pain?

— Profites-en, je t'en prie...

— Tu n'arrêtes pas de me faire chier! articule Lapinot.

— C'est toi! plutôt...

— N'en parlons plus!... C'est vrai?»

Les yeux dans les yeux, légumes à légumes, nos deux lapereaux se grignotent les minéraux. Nouveau silence vert et feu... «Il écrit tout!» lui chuchote-t-elle, sous les feuilles.

Ouf!

86. JAZZ UNDER ZE NUMICHE

Avec la ligne de pensée plutôt sinueuse, Ubald s'aventura à la recherche de la paix à se faire foutre. Libre cours à l'imagination qui se lève debout sur son gros nerf. Ubald copia sur son moi qui s'ignore et but une lente rasade. «À rien!» apocalypsa-t-il, un trémolo dans la voix...

«T'as l'cuir sensible???

— Non! Oui! Non... mais j'ai les dents en or. Et je bois mon verre à la vitesse que je veux...» répondit Ubald au gros Jean-Luc qui voulait l'entraîner dans le sous-sol du Numiche, de l'autre côté de la rue...

Ubald, vivant de nuit et mourant de jour, termina son verre. «Toi qui nettoies toutes les tasses dans lesquelles on boit... déjà tu annonces celles qu'on boira une autre fois!» jeta-t-il à l'intention de Christian, le barman-plongeur, dans un langage parabolique personnel.

Ubald tomba face à claque sur un vieux band de jazz, dans la cave du Numiche. Il recommença sa vie, de plein swing! avec Jean-Luc qui lui foutait son gros pouce dans l'œil gauche, en signe d'approbation.

La musique mâchouillait comme une hystérique, un cure-dent entre les dents. Une batterie twistait sa moustache grise et une contrebasse, son grand nez. Le pianiste «groovait» en sacrament. Il en perdait ses culottes, ses bas, sa chemise... alouette! Il venait tout juste d'avaler inconstitutionnellement ses souliers, l'un après l'autre... à la suite d'un coup de caisse claire bien placé.

Tout le monde court... comme partout dans Paris... Ça court en câlisse! Le pianiste n'en finit pas de marteler ses tarentules sur le clavier, accompagné dans sa tuerie par le contrebassiste exultant et crochu à mesure que le batteur leur masse le cœur. Le cœur d'une ville a aussi sa maladie.

«C'est pas toi qui grossis, c'est le monde qui rapetisse...»

OVER THE RAINBOW, tout tricoté maintenant, au piano... les touches dans la Heineken. Roger bat les moustiques sur son tambour, pendant que le pianiste lui frictionne l'épine dorsale dans une région tamisée par la grosse contrebasse pompeuse et asthmatique. Somewhere over the RAMBO... C'est une grosse râleuse, la contrebasse! Elle emprunte des chemins bas et tortueux pour en arriver au même point que notre pianoteux facétieux qui tricote des spaghettis avec l'air ambiant.

«Quelque part, au-dessus de l'arc-en-ciel...» Over the Rimbaud... Tous ces ongles sur touches, tous ces doigts légers ont de quoi chatouiller un papier fou de leurs plumes. Ragtime! On peut voir la bière qui entre blonde et qui ressort nègre au bout du stylo. Encre vénale sur comptoir noir... Jazz mandibule. Le piano grelotte comme une poule d'eau... La porte s'ouvre... une bouffée d'air frais entre... Slow rock'n jazz. Mais déjà, le morceau est fini... avec le feeling d'aimer et d'haïr en même temps. Un canon dans la bouche. Le Nazet est calme, la marée de roastbeef s'étant retirée...

Bagarre à la sortie du Nazet... Un gars mange un hostie de coup de pied dans la face et reste étendu dans l'ombre d'une porte. Ça réveille dru mais ça risque d'endormir un moment...

«Ça va! Ça va! c'est gentil... dit Saint-Patrick. Y a un peu de sang dans la gueule... C'est pas mon plat préféré!»

Dracula entre sous terre, par l'ascenseur S.V.P.! Le concierge traîne sa poubelle, la pousse vers le passage secret et disparaît dans la nuit scabreuse. L'ascenseur revient et remonte une cargaison de bouteilles de sang.

«Qu'est-ce qui s'est passé? demande le gars.

— Un coup d'pied dans la gueule... ça va?

— Tant qu'à avoir à ne pas trop se connaître... autant le faire le coude sur le zinc que le pied dans la face! se dit Ubald... Je ne comprends pas ceux qui deviennent violents et démoniaques sous l'emprise du sang divin.»

La musique se sauva vers les toits... Le jazz saignait du nez.

87. FÉBRILE APRÈS-MIDI

L'inévitable se produisit. Henri rencontra Ubald sur le parvis de l'hôtel... Et ils partirent tous les deux, à la quête du side kick incertain, au hasard des rues. Un lettrage à la peinture rouge: «Parlons français!» jurait irrespectueusement sur l'historique façade d'une monumentale maison. Mordu dans la pierre. Des bonnes femmes se faisaient pomponner chez la coiffeuse tandis qu'un blaireau subissait le même sort quelques portes plus loin, chez un barbier. Tout semblait sous contrôle dans l'histoire des autres... Cependant, Henri et Ubald eurent l'à-propos de localiser un petit bistro tout en couleur, angle des rues Saint-Pierre et de Sèvres. «Le Sauvignon». Dès lors, ils surent qu'ils y reviendraient et qu'ils pourraient y gagner un concours de circonstances pour le moins atténuantes. Sans bague ni déguisement, une psychiatre parlait de la peur de l'amour. «La seule façon d'être heureuse, c'est d'aimer un voyou!» «Pourquoi?... ça inquiète l'instinct maternel? questionna Henri, la main sur la figure de style. Et le pauvre voyou, là-dedans? Il n'a peut-être pas le goût d'être couvé une deuxième fois...

— C'est soit parce que sa mère l'a trop materné ou pas assez, qu'il en est aussi allergique à la tendresse. C'est l'évidence même!

— Laissez-le être dupe de son animalité, viârge!

— Ah! qu'il est mignon!

— J'suis pas mignon bon! C'est mon âme qui est

mignonne, moi je suis dégueulasse...» trancha Ubald, au beau milieu de la conversation avec la psychiatre, fascinée par le monde tourmenté de l'adolescence.

«Allez! à GO, on se plaît!» ordonna-t-elle. Ubald et Henri prirent leurs jambes à leur cou.

Ubald alla se coucher tandis qu'Henri ressortit en direction de chez Madgid, le serreur de vices.

«Sers-moi un blanc, Madgid!... que je le serre tendrement.

— Alors l'Art? c'est rien faire et boire du Sauvignon? servit Madgid.

— Je te le promets, mon frère!

— Ne me tue pas avec l'espoir!

— Ne juge jamais sur les apparences, Madgid, elles trompent. Maintenant, montre-moi le chemin de l'humilité!»

Henri rigola en faisant semblant de siphonner son huitième Sauvignon.

Méfiez-vous de l'emballage qui fait oublier le peu de contenu de la vraie nature!

88. BULLETIN MÉTÉOROLOGIQUE

«C'est comment l'hiver au Canada? Ça doit être quelque chose?

— C'est frette!

— Mais zencore?

— Ça peut être beau, à la rigueur, mais ça peut surtout être long. Tellement qu'on ne pourrait plus s'en passer...

— J'aimerais bien aller chez vous, l'hiver...

— Ben, vas-y! Mais ne trouves-tu pas qu'ils en ont assez comme ça? Car tu sais, l'hiver là-bas, au lointain pays, ce n'est pas qu'en surface. C'est ce qui se passe sous la neige qui est, en fait, la vraie saison. L'hibernation, cette espèce de mort régénératrice...»

— Il doit y avoir beaucoup de morts... de suicides du moins?...

— En mars, généralement... Alors qu'interminable, l'hiver se soubresaute de faux printemps, dans le seul but d'éprouver le moral des troupes. C'est comme une fin de combat au petit matin...

— Et toi Séville, tu aimes bien l'hiver?

— Tu sais, Didier, je suis né dedans... et je vais mourir dessous. De toute façon, l'hiver, n'est-ce pas là une saison spirituelle que l'on voit tous venir, mon cher Didier... dans l'abstraction de la vie. Aussi bien le faire concrètement, ne serait-ce qu'en guise de répétition? Rentrer sa bière et son bois, engranger son blé d'Inde... C'est la saison où l'on sait qu'on n'y peut rien... Bourgeois, curé, femme de potier ou clochard? Peu importe! Qu'à cela ne tienne! Quand la nature nivelle le tableau de son frimas, t'es l'égal de tous et de tout. Ô Didier, ô dis! Évidemment, y faut que tu payes la facture du chauffage. Sinon... fais une crise de nerf, proclame ce que voudras, aucune différence! Si ton char part pas...

— Ton quoi???

— Si ta bagnole est coincée sous zéro, bordel de merde... et refuse de tourner, recouverte de trois mètres de neige, avec Philippe Leclerc dans une peau d'ours polaire, suivi de son chien qui transporte sa guitare en creusant un tunnel entre les sapins... Ça te prend une bonne pelle pis pas de maladie de cœur, Didier! Pour être heureux, chez nous, ô mon cher dis donc, ça prend une bonne pelle! Ainsi, mon frère, il n'y a qu'une chose que je veux te demander... C'est de voir à ce que mon terrain au cimetière sois bien pelleté l'hiver... Tu peux être n'importe qui, la nature rit de toi à grands flocons. C'est la puissante impuissance d'avoir à vivre, de l'intérieur. Tu en viens à accepter la mort latente en t'imaginant une folie printanière qui te bourgeonnera dans la face, comme de joyeux comédons, à t'en faire dresser les cheveux sur le crâne. Sous la glace, une graine casanière, n'ayant rien à faire, pousse en charnière, perçant ses couches et s'éclatant. On appelle ça des perce-neige. C'est une fleur d'espoir, qu'on dit là-bas, chez nous, sous les congères...

— Dis, Séville, dis! C'est pas le même froid qu'ici?

— Non, dans ma cabane, c'est plus sec! Ici, c'est humide comme dans une catacombe, comme dans une cave de château aux murs épais... De toutes façons, on change de tête quatre fois par année. Les gens ont un chapeau pour chaque saison, avec une folie différente dans chacun d'eux.

— Ahhh!!! la forêt dépouillée, la chaleur des chaumières, les grands espaces enneigés, la rigueur tonifiante du climat, les sports d'hiver sur le grand tapis blanc du Père Noël...

— ... Avec les deux pieds dans la sloche! On doit être fort, les Québécois, pour avoir passé à travers tout ça et être capable de le faire encore... On a eu la vie dure pis on peut ben avoir des gros culs... Vive la Floride! Au printemps, quand fond la neige, on retrouve les cadavres des pègreleux exécutés pendant la rude saison. On les voit couchés sur les bancs de neige comme des clochards. Raides et bien conservés dans leur cachette. Ils ont, règle générale, perdu un peu de graisse pendant le transport. Ils renaissent, recommencent et, à l'automne, tout est à refaire. Il n'y a que les oiseaux migrateurs pour suivre tout ça d'une contente façon. De loin.

Les plus hardis prétendent qu'ils n'entendront plus les cris obscènes de la laideur, une fois qu'ils auront traversé les horreurs de l'hiver violent. Ils font preuve d'une transparence imaginative des plus fertiles, mon cher Didier...»

La mort semble la seule route possible pour retrouver la dignité perdue. Le retour du pays d'un reflet.

89. ÉRUPTION IGNORÉE

Gustave était assis dans sa cabane, avec une belle bouteille de Saint-Antoine-Abbé. Il se trouvait à un tournant de son existence où, en quelque sorte, il attendait de couler pour se débarrasser des mythiques personnages qui en étaient venu à le hanter continuellement. Il croyait, dans sa bizarre névrose, qu'il les noyerait tous en se noyant lui-même et qu'il pourrait ainsi se remettre à neuf. Par conséquent, il ne s'occupait plus de rien. Il négligeait, pour ainsi dire, le côté matériel et l'apparence des choses. On avait bien tenté de laver ses murs, par charité, à un moment donné... mais le résultat avait été si pitoyable que la cuisine n'en était jamais revenue. Les traînées de crasse se multipliaient du plafond jusque dans la tasse à café, en passant par les chiottes, évidemment. De vilains cernes gras régnaient en maîtres jusque dedans sa tête. A quoi pensait Gustave? Aucune vie sociale, si ce n'est une fournaise à l'huile qui ne s'éloignait jamais trop de son maître, et une odeur âcre et permanente d'ammoniacale pisse de matou. Depuis son accident, celui où il était tombé sur la tête, il n'était plus tout à fait là... il avait pris du recul.

L'importance du recul prend souvent son importance quand elle prend elle-même du recul, face à son mur. Peut-être qu'en donnant un coup d'peinture? Encore là... La peinture, ça prend aussi du recul. Les yeux collés sur le mur, sur la forme, on ne voit plus dedans. On ne peut saisir le contenu d'une façon impartiale. Il faut s'éloigner, plisser les yeux et se demander: c'est quoi la culture? l'écart culturel? Est-ce de savoir qui a barbouillé le mur à Gustave? avec qui? avec quoi? et quand? Ou d'apprécier le mur à Gustave tel qu'il est avec son cœur?

Le mur à Gustave est présentement exposé à la galerie Royale, à Paris. Les plus grands critiques sont passés devant et, oubliant sans doute qu'il avait des oreilles, ont émis sur lui les commentaires les plus farfelus... allant du «caractère dans le mouvement» jusqu'à la «sobriété du trait replié dans son cadre»... Tout ça, pour un vieux mur sale devant lequel Gustave a passé sa vie complètement saoul!

«Et, la prochaine fois, répète toujours le propriétaire de la galerie quand il y a des journalistes, ramenez-nous l'indigène lui-même! Ça fera bien! On l'installera devant son mur. Quant à vous, chers distingués invités et clients, bienvenue à la galerie Royale! Et n'oubliez surtout pas de vous couler dans le bronze avant de partir... avant de constater bêtement que vous êtes morts à vingt-six ans mais ne serez enterrés qu'à soixante.»

Le mal que se donnent les flics pour déloger une bagnole mal garée, au coin de la rue, à 2h15 du matin, bloquant tout le trafic, donne ici une très bonne image du mal que se donne l'administration de la galerie Royale. Décidément ce bouquin, si jamais bouquin il y a, n'en sera pas un de très haute gastronomie... plutôt un assortiment de sandwiches variés, comme au lancement du mur à Gustave. Des choses simples, pour ne pas dire simplettes. Fast-food pour ceux qui ne savent pas lire mais qui ont de bon foies et de bonnes tripes. Éloge du mal qu'on se donne à ne rien faire, en attendant que le mur à Gustave daigne bien bouger. Conversations avec le mur lui-même et rebondissement des personnages qui y sont grossièrement dessinés. Gustave, dans la salle d'attente, qui se raconte des histoires. Anecdotes issues de la bouteille de Saint-Antoine-Abbé. Un torchon de gouttes. Un recueil de chansons prosaïques pour chercheurs de riens. Un grenier d'images.

Aladins, frottez vos lampes!

Il est 2h30 à Paris, 1er novembre, donc, 8h30 à Montréal. Dans un bar tout à fait sérieux du Quartier Latin, quatre joyeux estudiantins québécois trinquent à la santé du groupe rock montréalais Offenbach qui offre son show d'adieu au même moment au Forum de Montréal, après vingt ans de culturel combat devant le mur à Gustave. Un dernier mârci!

C'est la semaine des vacances scolaires, en France. Par conséquent, les enfants, accompagnés de leurs parents, ont le droit d'aller s'embouchonner en famille sur les autoroutes, tous en même temps. Le 1er novembre, c'est bien l'anniversaire de l'ennui, non? Au lendemain de l'Halloween de tous les saints...

90. LE PETIT MUSCADET

Tout le monde, devant la pâtisserie, attend en rang la distribution des prix qu'ils auront à payer. Les Krishnas passent dans la rue, avec leur guéling-guélang mondial. C'est la grande fête des assiettes des pays chauds. Pas de cheveux dans la soupe! On se cogne le crâne de rire sur le zinc, directement...

La bière coule, car il pleut dehors. Un pauvre petit muscadet se retrouve dans un verre, à son insu. Il traîne sur le comptoir un instant, miroité de néons, au risque d'aller se tarir dans quelque estomac mal famé. «Pardon Rébillard!» laisse glisser le patron. Le petit muscadet n'est plus qu'un demi petit muscadet. Bientôt, il atteindra la taille de Rébillard. Un moment d'inattention et hop! le voilà qui disparaît de plus belle. Glisse-t-il sous le comptoir? S'évapore-t-il dans une rêverie quelconque, à l'abri de la pluie? Le soir baisse à son rythme, au rythme du musc... Il est 6h28. Le petit muscadet n'est plus. Liquidé.

«Je te paye et je m'en vais, jette l'assassin.

— Tu marques tes dépenses? demande Rébillard.

— ... d'énergie seulement!»

L'argent, gagné en France, devait être bu en France...

91. GENÈSE D'UN SAMEDI SOIR

«Les Italiens me saluent comme un des leurs? se dit Adam... Je représente sûrement une facette, une figure de leur opéra traditionnel! Ah! que la levée du corps prend du temps dans le four à pizza!!!»

La création était ardue et Adam-la-pâte-molle avait des problèmes d'adaptation par rapport à son nouveau corps. Il avait bêtement l'impression qu'on lui en avait refilé un vieux, un usagé, un de seconde main... Mais enfin! Il sortit lentement de son appréhension, paya la facture et risqua un coup d'œil autour. Il émergeait doucement. La renaissance s'avérait difficile et l'accouchement, en couleur. La marée monta et se retira, laissant une pâte gluante et molle. Adam se solidifia et reprit du poil de la bête, au tison de lui-même. Il se sentit réenvahi par l'avis des uns et des autres. Il put enfin émerger entre ses oreilles... Une fois craquelée, sa croûte laissa passer un courant d'air, un souffle vivifiant, et Adam remonta lentement... Un anneau lui serra les tempes du temps: les forceps, biceps de la machine. Il chercha sa côte et regarda si Ève n'en était pas déjà issue afin de créer avec elle un écrabouillement de forces contraires, un choc vital fatal. Un feu aux poudres. Adam revenait péniblement sur la pointe des pieds. Ça ne se faisait pas tout seul. Il devait se surmonter lui-même, défoncer sa nuit, son égomanie, son meurtre. Il écarquilla les yeux, les dilapida à travers leur plasma lacrymal et se leva, en hurlant presque d'une joyeuse douleur. Il atterrit dans le monde, par la porte de sortie, rue Saint-André-des-Autres.

Là où Dieu et Satan se rencontrent, Adam chanta «Dream Dream Dream» avec Phil, dans l'escalier de l'hôtel, quelque part entre le 4e et le 5e. L'Américaine de la 32 braillait encore au téléphone, incommensurable Ève entortillée dans son fil. Une montée de racisme s'inséra entre les deux, dans la nuit défaite. En n'ayant pas peur de se tromper, ils payèrent à l'avance pour leur vieux péché. Mais le lundi, ils se mirent vite à débander, face au quotidien...

C'est dans la détresse qu'on reconnaît sa bouée (proverbe italien).

92. DOUCEUR PERFIDE

«Juste ce qu'il faut de perfidie!» répondit Henri à la question suivante: que souhaiteriez-vous de plus chez une femme? Il s'attarda et se laissa, un moment, remplir de lumière. Notre-Dame étirait ses gargouilles dans l'azur céleste en embrochant sa voûte. Paris ensoleillait ses beaux dimanches et les mouettes en voltigeaient de joie. Radieux. Henri fut pris sous les ailes et s'envola aussi.

Son inévitable sens de l'orientation le transporta rue Charlot, au-dessus du marécage. Il se déposa, tel un mime... et se retrouva comme par enchantement chez Denis Saint-Claude. Le marais stagnait, le dimanche... Quelques musiques hébraïco-arméniennes, à peine, ici et là... «Bercez-moi!» demanda silencieusement Henri, perché sur la balançoire intérieure de sa cage.

Deux belles bières et le radar se plaça tout seul, à retardement, direction Place des Vosges. Henri alla pisser dans la toilette des femmes, à la grande stupéfaction de la Chinoise qui y entra après lui. Les yeux lui en défissurèrent verticalement et, pendant une fraction de seconde, elle en eut des tout ronds.

Dixieland afternoon sur la Place des Vosges. Louis XIII se trémousse sur sa statue. Madame de Sévigné fait du roulis-roulant devant chez Victor Hugo, entre les tilleuls 1783, pendant que Théophile Gauthier joue au ballon avec Ti-Phonse Daudet. En bon misérable, Henri profita de l'occasion pour se payer une petite visite au père Hugo, au numéro 6 de la même rue. Celui-ci semblait parti pour cinq minutes car ses affaires traînaient un peu partout dans la maison. Il n'y avait évidemment pas d'ascenseur, mais de nombreux tableaux accrochaient leur précieux temps aux murs. Entre le 1er et le 2e, Henri croisa Cosette soudée à son seau. Il lui donna un coup de plume pour l'aider à soulever sa chaudière de bronze. Il y avait foule chez Victor pendant son absence. Heureusement, quelques gardiens surveillaient pour qu'on ne lui vole pas ses affaires. Henri prit place dans le salon, fantôme parmi les visiteurs. Un buste du copain Victor regardait ailleurs, de ses yeux vides. Derrière les carreaux, la place des Vosges était encore toute fouettée de soleil. (Compréhensible que Victor n'ait pas eu le goût de passer l'après-midi dans son musée, à contempler les assiettes de Juliette Drouet!). Plein de monde dans la salle à manger? Vite, Saint-Hubert BBQ! Justement, les chaises ont l'air d'avoir été façonnées pour les gros culs!

Un portrait à l'huile de Victor se soutenait le crâne dans son cadre. Position normale pour un penseur. La chambre à coucher? Henri se disait que s'il avait lui-même eu à coucher dans ce lit, il eût fallu qu'il le fasse en diagonale, et encore! Ce n'était pas une chambre, en fait, mais plutôt une section de cabinet de travail! Victor était peut-être un grand poète, mais il n'était pas grand de taille. Le seul temps où il aurait pu s'accrocher dans ses lustres, c'était quand il planait... Et, là encore, un gardien vietnamien y veillait. Ne touchez pas, S.V.P.! Victor jouait aussi au billard, à l'occasion, sinon il s'assoyait sur sa chaise sculptée PATER, pendant que sa femme, MATER, prenait place à sa droite, et son fils à sa gauche, FILIVS. Sa fille Adèle avait déjà, en 1859, des allures d'Isabelle Adjani. Victor faisait de beaux enfants et de beaux meubles aussi... bien qu'un peu carrés.

La fin d'après-midi fit feu dans les yeux étonnés de Léopoldine Hugo qui, à trois ans, avait déjà l'air vieille. Henri en profita pour aller se rajeunir dehors. «Une larme pour une goutte d'eau», suggérait une toile, dans l'escalier. Féminine charité offerte au supplicié, devant une foule avide de sang. Henri eut instantanément soif. Il salua la casquette 1871 de Victor (celle qu'il portait pendant le siège à Paris) et se mit en quête d'un siège de bistro.

Le jazz poursuivait sa route, sur une Place des Vosges déjà assombrie. Un banc de parc précéda le siège de bistro, de quelques minutes.

«Alors, tu viens, maman?» Il était 5h30. Les dixiemen de la rue, tous sens aiguisés, comptaient leurs sous, à la table du «Boulet de Turenne». Rue de Rivoli, un chien était assis dans une boîte de carton. La tour Saint-Jacques fit signe à Henri de s'amener dans sa direction, sautillante de gothiques suggestions. «La Tartine», sur la même rue, faillit bien freiner sa course... mais, au même moment, un bossu passa et transporta ses yeux, sans abri ni ressources, devant la fontaine illuminée de l'Hôtel de Ville et à travers le Châtelet, de la prison au théâtre...

Tout rentrait dans l'ordre des choses. Cent ans après Victor.

93. DÉMÉNAGEMENTS

La fille paranoïaque, en guirlandes de Noël, jeta des yeux pointus et sous-entendus autour d'elle. La nuque tendue comme un tronc de sapin, elle crispa sa mâchoire en crèche et s'allongea les babines, en doux Jésus. Elle lisait.

«Dernier regard gris de la fenêtre de cette cellule que je vais quitter, pensait Ubald. Dernier coup d'œil en rond vers un autre refuge, dans le 5e arrondissement, où il faudra transporter pénates, guitare et plante à arroser.» Une vieille mémée à barbe piétine de ses petits pas incertains sur le dos du vieux boulevard Magenta. Une Chinoise, face en demi-lune, s'ajuste au croissant facial de son époux. Il pleut... «Voilà la différence grise et blanche entre quelques arpents de pluie et quelques arpents de neige, monsieur Voltaire! Vous avez triste mine sur votre socle, aujourd'hui... Votre arthrite souffre-t-elle d'humidité?» ironisa Ubald, avec l'humilité d'un rat d'eau. Quelle vie! Mais c'est la seule qui existe, on est mieux d'en profiter... De toute façon, la pluie, ça calme l'instinct incendiaire, d'autant plus que vous ne chauffez pas beaucoup, chez vous, monsieur Voltaire. Là-bas, au pays des bonshommes de neige sur socle, on a le sens de la flamme... Tellement que les pyromanes courent les rues et font tel qu'on a le sens de l'assurance à payer pour vivre en zone sinistrée. Vous avez beau dire, signor Voltaire, qu'on n'a qu'à ne pas construire des maisons en bois... mais le bois, c'est tous ce qu'on a, voyez-vous! Vous seriez là-bas que vous en seriez totem, sujet à incendie criminel comme tout le monde. En attendant, prenez donc un bon coup de frette dans votre cœur de pierre! Et, tout le long de vos artères grises, faites donc couler un bon bain de rouge pour vous réchauffer le centre-ville! En quelle année Londres a-t-elle flambé, déjà? 1866? À cause d'un boulanger? Peu importe! Il devait pleuvoir...

Ubald pensa à son déménagement éventuel. Tant qu'à ne pas vouloir mourir, recommençons à zéro. «Je vais pisser, ça sera pas long...»

Pluie acide sur feuilles. Pas long, mais précis...

94. PROPOS DE DÉPART
(Songe à tempéraments)

Auguste-Émilien entra à la Taverne Marcil. Il venait de la meilleure place au monde, il avait fini par s'y emmerder et maintenant, il emmerdait tout le monde. Ce lopin de paradis, où il avait jadis lové son rêve, semblait bien loin. Cet éden dont tout le monde rêve à soixante-cinq ans, il l'avait eu, lui, trop vite. Maintenant, il ne lui restait rien à quoi il pourrait rêver sauf une belle bière. Auguste-Émilien venait de la Gaspésie... N'est-ce pas là le plus beau pays du monde? Avec ses plages ensoleillées, ses palmiers et ses fameux «lobster rolls»? Et pourtant, faisant fi de tout, il était parti... vivre son rêve à l'envers. Il ne prenait aucun plaisir comme tout le monde à économiser de l'argent pour pouvoir aller vivre ailleurs. Il en venait de ce lieu et savait qu'il ne pouvait même plus se l'offrir en y rêvant par en avant. Les gens perdent tellement de temps à concrétiser leur insatisfaction. Et il buvait de la belle bière, en hurlant: «Qui c'est qui a dit que j'étais mort?» de sa voix nasillarde de coupeur de vitre. Auguste-Émilien Lampron-Levac, dix-huit ans, entretenait tous les symptômes de la jeunesse nord-américaine blasée, perdue dans les voyages, les cieux à crédit et l'amour garanti. Né trop vite, la gueule trop pleine du hamburger final, Auguste-Émilien se suicida à petites doses jusqu'à sa pension, après soixante-huit ans de lentes tentatives. On le mit en bière et on l'expédia dans sa Gaspésie imaginative, dans une caisse de O'Keefe.

On ne boit plus de la bière, on boit de la publicité. On ne mange plus de poisson qui sent le poisson, mais du poisson enveloppé, congelé, aseptisé et sur lequel c'est écrit *Fish*. L'emballage prend de l'importance et les sens s'atrophient. Le fromage ne pue plus. C'est la guerre des étiquettes sous lesquelles tout a le même non-goût. Tout tend à s'uniformiser. La marginalité même marche au pas. Si tu t'aventures en dehors des sentiers battus, tu crèves. Insipidité consommatrice de la société moderne bien enveloppée «pour sa sécurité». Bols de toilettes de motels, savons et pains tranchés. L'amour se moule dans le caoutchouc, la musique dans le papier ciré, les larmes coulent dans le noir... le temps d'un film fait sur mesure. Le rire est synchronisé, plastifié et canné, la création meurt pour produire, la porno lave son linge sale en famille, la pizza se cartonise, le poulet s'hormonise, l'arche de Noé navigue sur une mare de gaz carbonique synthétique où même la mort n'a plus tellement d'importance.

95. BABILLARD

L'Américaine hurlante quitta en même temps.

«On n'a pas à traiter d'antropomorphisme un singe qui se met des colliers!

— Entre le singe et le furet, il n'y a qu'un cri... Quand les chiottes sont bouchées, un furet est très utile, répondit placidement Henri.

— J'ai toujours entendu dire qu'au Moyen-Âge, avant qu'on ramène les chats des Croisades, l'animal domestique par excellence était le furet...

— Ça convient très bien à ma capacité d'alimentation!» soutint Henri... Un jour on l'avait vu réussir à manger un club sandwich à Laurier Station.

«Tu sais ce qui a enrichi le café de Flore? Le vieux avait stocké du sucre par esprit d'économie avant la guerre et pendant le rationnement, il a fait fortune!» tenta Rébillard, pour rien... Rébabillard.

96. MENTALEMENT

Il y avait jadis deux frères, sans conseil de père ni de mère, et sans autre compagnie. L'un s'appelait Ubald, l'autre Henri. Henri était plus intellectuel, enfin plus littéraire qu'Ubald qui était plutôt genre rocker. Pauvreté d'esprit fut bien leur amie, car elle fut souvent leur compagne. C'est la chose qui tracasse le plus ceux qu'elle assiège: il n'est pire maladie. Ensemble demeuraient les deux frères dont je vous conte l'histoire. Une nuit, ils furent en grande détresse de soif et se laissèrent aller à la boisson. Ce mal s'attache souvent à ceux que Pauvreté d'esprit tient en son pouvoir. Ils se demandaient comment ils pourraient se défendre contre Pauvreté d'esprit qui les accable: souvent elle leur a fait éprouver de l'ennui.

Un bar se trouvait à une demi-lieue de leur auberge. Dans ce bistro, il y a du vin et de la bière. Tous deux se dirigent de ce côté. Pauvreté d'esprit rend fou bien des hommes: l'un prend une bière, l'autre aussi... Le premier offre la traite suivante, le deuxième règle l'autre... Ils prennent quelques muscadets frais pour faire une brèche. Ils sont en plein état d'ivresse publique. Ubald aperçoit un écriteau concernant l'ivresse et sa répression et la protection des mineurs... Un pigeon est mort dans le caniveau. La tête arrachée de son cou rouge, coagulé. Un coup d'blanc alors! Frais... frisquet pour les cicatrices!

Le lendemain, le patron du Ticon s'est aperçu de la disparition de la pancarte «Répression de l'ivresse publique» et, devant les garçons penauds, soupçonne Ubald de l'avoir subtilisée, la veille, ou l'avant-veille. À distance, Ubald le perçoit et acquiesce mentalement, s'en excuse mentalement aussi vis-à-vis des garçons, envoie chier mentalement le boss, paye concrètement sa bière et décâlisse du lieu pour quelque temps. Il n'aime pas tellement se faire reprocher mentalement son ivrognerie de bon pilier. «Ça n'fait rien, il y a des pancartes bien singulières...» Heureusement pour la folie elle-même!

Moustache: tache de mousse, on l'oublie trop souvent... Avec plein de bière dans la moustache, un vieux vétéran rouspète: «Vous êtes nés dans une époque de cons, les mecs aux hormones! Vous ne dites que des conneries... Vous reprenez votre place et vous me foutez la paix! Ils me cassent les noix. Je vous aime tous mais foutez-moi la paix!» Le vieux exhibe des blessures de guerre qu'il cache sous sa gabardine-trench coat-imperméable.

Ubald lui dit: «C'est nous qui vous avons sauvé en Normandie, au débarquement»... Le vieux reprend aussitôt: «Vous êtes Américains? Vous me faites chier... vous travaillez du chapeau!

— Mais enfin, cher monsieur, c'est vous qui portez un chapeau que je sache! relance Ubald, avec prestige face à l'hostilité.

— Horripilant! s'hérisse Saint-Robert, en invitant Ubald à aller le visiter dans sa cabane en carton sous le Pont-Neuf.

— On t'a enlevé tes draperies? lui fait Ubald, en allusion aux phantasmes de Christo.

— Ça ne fait rien! dit Saint-Robert... On boira un bon coup de rouge pour couvrir le tout!

— D'accord! à bientôt... T'as mis du sirop d'souris dans ma bière!

— Au bœuf, l'eau donne la force... Aux Muses, la bière et le jus de la treille. Buvons, frères, de la bière et du vin... Qui voudrait devenir un ruminant? beugla Goethe, mentalement.

— Contre la bière et le tabac, les ruses des femmes échouent, répondit le proverbe.

— On peut boire trop, on ne boit jamais assez!»

Allez, Lessing!

Le public rapetisse, mais se raffine. Un manchot joue de la «slide guitar», boulevard Saint-Michel, avec sa copine à la basse. Super mental! Un monsieur très bien regarde placidement chier son chien en tenant la laisse qui le relie à lui. Il attend, mentalement, épinglé par la torpeur qui le plonge au plus profond de l'homme et de sa détresse. La maladie transparente: L'INDIFFÉRENCE, le dernier replis de la résistance.

97. LA CRÉMAILLÈRE DU SOLITAIRE

Henri vérifia l'état des lieux. Un petit studio dans le 5e, au sixième étage. Six sur cinq... Vendu! Un pied-à-terre, dans les airs, rue Legoff. Hugues était parti et lui avait presque tout laissé: stéréo, téléphone, répondeur même, télévision, chaudrons, ratatouille, vidanges, briquets, stylos, ambiance, vue sur les toits, etc. Tout ça dans quatre mètres carrés!

Henri se leva un peu raqué, encore inhabitué au swing de son nouveau grabat. Il prit une douche... en y entrant de côté, tellement elle était petite. Il expédia également, de côté, dans la minuscule toilette. Peut-être y avait-il moyen de tout faire en même temps? Nettoyer, à la fois, l'intérieur et l'extérieur? Un radiateur à roulettes le tenait au chaud tout en lui tenant compagnie, tel un animal domestique extra-terrestre. Henri lui fit faire une promenade autour de la pièce, en le tirant par son fil. Il dut se planter dans le mur pour faire de la place, alors qu'un soleil écartelé plongeait directement dans l'entre-bâillement, tenant lieu de fenêtre de cuisine. Henri ouvrit le frigo et, le plus naturellement du monde, comme s'il avait toujours habité là, se servit un muscadet bien frais de la veille. Maurice vint bientôt le rejoindre pour une partie d'écriture, en chien de fusil sur la table à café. Henri allait devoir se trouver une table de travail plus convenable et un peu plus haute. Déjà des crampes mal placées lui servaient de dossier.

Les murs tapissés de liège et de miroirs donnaient vaguement l'impression de vivre dans une bouteille, de naviguer sur un petit voilier d'exposition. Perfidia, la joyeuse plante, se retrouva sur la télévision en compagnie d'une compatriote dont l'aspect était quelque peu miné par la solitude. Une bonne couche de peinture, sur le mur du petit corridor d'entrée, ne ferait certes pas de tort! Henri pensa au mur à Gustave. Lentement, il se gargarisa d'un autre muscadet, pour pendre la crémaillère, et sortit dans l'après-midi déjà estampillé. Il écrirait, couché dans la douche, plus tard...

98. HISTOIRE DE CAVES

Un matin, Fernidand de Lampronville fit irruption à la Brasserie de l'Ancienne Opulence. Il s'installa, comme à l'habitude, sous l'arcade sourcillière de l'œil de bœuf dominant l'horloge murale afin de faire un brin de causette à sa bière. «Hein, ma belle bière? Tu l'sais bien que j't'aime!» lui dit-il en caressant la blondeur condensante de sa taille et en lui dessinant des hiéroglyphes sur la buée. Quelle ne fut pas son agréable surprise d'ouïr son verre lui répondre: «Moi aussi, j't'aime, mon beau Fernidand! même si j'ai un petit haut le cœur à chaque fois que tu m'ingurgites... Dorénavant, j'aimerais bien que tu me remplisses à mesure et que tu ne me laisses jamais connaître toute l'ampleur du vide.»

À partir de ce jour, Fernidand ne fut plus jamais seul. Il connut la sous-population qui pétille dans le pays d'un reflet. Il en entendit les digérantes voix égosiller leur je à travers les milles et une bulles qui débordent quand on y met trop de sel. Nul ne se doutait que Fernidand communiquait avec le génial Bacchus lui-même qui, tel Aladin, prenait plaisir à se faire frotter et à se faire parler dans le reflet avant de glisser vers les flatteries de son palais. Fernidand devenait alors le confident des racontars les plus fermentés baignant, en écho, dans sa soupe. Bientôt, il n'entendit plus que la voix de son verre dont il se faisait le porte-parole attitré, en buvant ses mots, pour nourrir les caractériels dialogues qui le moussaient, à l'intérieur. Un peu de sel... et pschchch!!! Le verre débordait et coulait sur la table, en criant: «Essuie-moi, Fernidand! Éponge nos secrets! Ne divulgue pas les histoires qu'ils sécrètent... Sinon, tu passeras pour un divagateur redondant et tu subiras les sévices de la critique des autres. Garde ça pour toi!» Mais gauchement, Fernidand renversait tout, y compris les rôles. Son comportement, son droit de regard, sa personnalité même changèrent et il devint plus entreprenant, à son insu. De jeune cadre sérieux qu'il était, il devint encadré fou. Tout son délire se répandit sur la table. Lui, qui avait perdu sa folie à l'aube de la quarantaine, la retrouva avec une quarantaine d'autres, en train de s'émoustiller à l'intérieur de son torchon. Il tordit la guénille avec douleur, au milieu des apparitions, et se déversa dans de nouvelles aventures.

Desséché par rapport à l'opulence des années passées, Lajeunesse se cherchait un endroit pas cher où avoir du fun bon marché, en buvant à prix plus que raisonnable (étant un éventuel chômeur) et en mangeant sans avoir à trop bourse délier. Mais il n'existait plus un temps semblable, ni un endroit, ni une situation. Lajeunesse, aujourd'hui, devait payer son prix. Il était loin de ce que le docteur Lajoie-dans-le-sommeil proclame être la plus belle période de la vie, c'est-à-dire: la grande enfance. Maintenant Lajeunesse, avec la mort en gestation dans son ventre, avançait dans le noir comme un écrivain sur sa page blanche. Il se dématérialisait de plus en plus à travers une appréhension du néant. Son œil, qui jadis explosait face aux décors éblouissants des puérilités, implosait maintenant, tel l'œil de Caïn, vers les paysages ténébreux de sa conscience. Il devint une tombe peuplée de fous souterrains. C'est dans cet état que, rendant visite au vieux cave qui habite les couloirs du Moyen-Âge mental en se laissant vieillir comme le vin, Lajeunesse rencontra Fernidand de Lampronville, au moment même où celui-ci puisait dans le bassin de sa riche cervelle. Sa seule richesse étant son imagination, il voulait s'arracher la tête et la remplacer par un périscope à travers lequel il pourrait observer les voix qui lui téléphonaient. Lajeunesse vit bel et bien à quelle source Fernidand se branchait pour synthoniser les voix de sa conscience et ne se gêna pas pour le traiter d'hostie d'écœurant, de roi des batteurs de femmes battues et de vulgaire mâle chasseur. «Nouvelle femme, nouvelle guerre! répliqua Fernidand à travers la tuyauterie, en s'attaquant directement aux barils de draft dans la cave de la brasserie... C'est toutes mes blondes!» Il siphonnait ses mots à même la base, plogué sur les tubes du moment, comme un cablo-sélecteur. Le temps fuyait et il sortit avec son parapluie et un tue-mouches, sa cervelle d'or liquide fendue et sa muse éventée. Le vieux fantôme du Moyen-Âge s'y glissa et resta coincé dans un coude. Le coude du bras de la pompe. Il y eut comme une crampe généralisée, un léger court-circuit et un pincement de nerf. Une boule dans la gorge. Le vieil hostie d'écœurant fit vomir l'envers de la médaille, l'envers de la chanson à boire.

Il vivait assis dans un monde de boue et debout dans un monde rassis. Il pleuvait souvent pendant quarante jours et quarante nuits et toutes les raisons pour boire étaient bonnes. Les ancêtres, aussitôt sortis de leur limon, s'y étaient tous retrouvés... retournant à leurs sources, pour ainsi dire, dans le sous-sol. Le caveau du Moyen-Âge regorgeait de vieux barils pleins de Diogènes aux idées floues qui voyaient la vie à travers leur œsophage personnel. Leur vie des hauts troncs, pendus à leur câble. Tels des embryons baignant à la face plissée, ils fermentaient constamment dans le ventre de la terre, incapables de s'en sortir, puants de conversations à propos de l'adolescence qui transpire à travers eux, inaptes à se laver eux-mêmes, accumulant la goutte dans leurs vieux coudes de penseurs pansus. Quels vieux ciboères! Qui as dit que dans la mort, il y a toujours un peu de vie? Le yogourt? Les ancêtres peuvent bien faire des guilis-guilis cosmiques avec les fœtus, la voie spermale baigne. Ça grouille chez les vieux caves! Caves à vin. Le long des corridors du Moyen-Âge, Bacchus souffle son vent tiède et humide. La moisissure du vieux ciboère est impressionnante. Le cri de la soif est lâché. La terre desséchée manque de larmes. Bacchus a des coliques névrotiques, du calcaire dans les reins. Le docteur Lajoie-dans-le-sommeil arrive. Bacchus vomit de l'air chaud. Vulcain le travaille au noir et le chauffe à blanc. L'ancêtre se roule par terre et se retrouve hors contexte.

Le docteur Lajoie-dans-le-sommeil, comme d'habitude, lui prescrit beaucoup de liquide pour sa croissance, ainsi qu'un petit repos au fond de son puits cartésien.

Et c'est ainsi que Fernidand de Lampronville put venir au monde, à son insu, avec rien dans le grenier, mais tout dans la cave. Esprit de fondation. La fondation Lajeunesse, sans but lucratif, vous invite: Venez vous retrouver dans l'œuf, en devenant ancêtre. Vous aurez le temps de l'enfance et de l'eau dans la cave.

Et si vous ne voulez pas vous retrouver dans de noirs replis... eh bien! NE FAITES PAS À VOTRE BIÈRE CE QUE VOUS NE VOUDRIEZ PAS QU'ELLE VOUS FÛT!

*

Jo vivait à la noirceur, derrière chez nous. Nous étions au sous-sol. Jo, un vieux Polonais presque aveugle, surveillait la chambre des chaufferies. Il ne sortait jamais, branché sur les tubes, lui aussi... Les longs tubes intérieurs, vous savez? Gastriques et intestinaux... Les araignées lui tenaient compagnie. De temps à autre, nous ouvrions la porte qui donnait derrière le long corridor nous tenant lieu de gîte et nous jetions un coup d'œil dans celui de Jo, dont nous apercevions le regard apeuré dans l'entrebâillement. Bientôt, nous pûmes l'apprivoiser. Jo aimait les May West. Nous lui fîmes le coup de la petite souris et nous réussîmes à le faire sortir de son trou. Petit à petit, avec patience, nous l'attirâmes de notre côté en approchant le May West davantage, chaque jour... ou en l'éloignant, tout dépend du point de vue où l'on se voit.

99. WESTERN BLUES

«C'est mon heure d'assassin!» déclare René. Il est 4 h moins 8. Sherlock Holmes passe, livide avec son parapluie noir. Imper café crème et peau chocolat blanc. Il traverse la vitrine par l'extérieur et continue son enquête de tous les jours. «Sur les bords de mon cœur, ils se torchent avec du rock...»

Le catholique cow-boy est accoudé au bar, selon son habitude, avec sa casquette de baseball enfoncée jusqu'aux sourcils. Nonchalamment, il balance la jambe droite, bien ancré sur sa gauche, éperonnée à la barre du bar. La patte comme une barre à clous. Il dégaine son stylo et cartonne son calepin.

Le patron entre dans le saloon. Un saloon à la française. Le catholique cow-boy mâchouille son cigare imaginaire, à l'invisible fumée. Nini, chienne à Jacques, sirote son quart Vittel avec la désinvolture d'une geisha jaune citron. Wild Bill Hickock rabaisse son chapeau et fouille dans son sac, la tête guillotinée par ses écouteurs de walkman. Baladeur cervical, étau de musique. Georges-Étienne Cartier entre et ressort aussitôt, avec le rictus gêné de s'être trompé d'époque. Des guérilleros algériens boivent de la bière en regardant leurs souliers et leurs bottes. Nini dessine des lèvres écarlates sur son fond jaune. Ça pète le feu! Ça dégaine! Ça jure! Davy Croquette-de-poulet va s'asseoir à la table de Nini. La frange de son coat en balance de frénésie. Nini tient sa cigarette entre deux doigts flanqués de deux éléphantesques bagues. La fumée sort de cette arme avec la même désinvolture sensuelle que l'allumeuse elle-même. Le catholique cow-boy sort, un pied dans la porte... and a long, long way from home.

«Un p'tit Sauvignon, Rébillard!

— Tu remontes le long de la Loire maintenant?» tape Rébille, déjà prêt à servir un muscadet.

Le manchot à la guitare slide est au coin du boulevard à hurler son blues dans la fraîcheur cinglante. Un ciel d'aquarelle bleu, gris, orangé s'émoustille au-dessus des toitures, à ce moment-là précisément. Sur un camion de nuages. Ici Radio-Montmartre!

100. LAVAGE-DÉGUSTATION CHEZ BABACHE

Sébastopol, comme des étoiles au-dessus du Lac Saint-Jean... Sébastopol scintille de toutes ses mouches à feu. On peut voir Toulouse-Lautrec et ses feux sauvages à genoux devant une punk à la chevelure fuchsia. Vide-couilles en couleurs... «J'en ai assez bavé de passer pour un baveux alors que je peux être si gentil...» se dit Henri (de Toulouse-Lautrec, directement). Un bon p'tit coup d'pied dans l'cul, peut-être? Attention! Radisson le cass-à-poil passe en courant. Sébastopol grouillonne de clignotements.

Le x février mil neuf cent quatre-vin-six, être le cobaye culinaire de Babache à tester les vins de monsieur Sécheresse, quelle expérimentale expérience! Le Puisseguin Saint-Émilion de monsieur Chon: un vin calme et tranquille pour de joyeux ivrognes.

«La machine à laver ne s'arrête plus dans la cuisine, fait observer Babache... et y a le linge qui sèche depuis quinze jours dans la salle à manger et qui nous étouffe.... et les plantes qui poussent d'une manière pas tout à fait normale... Ça prendrait plus de femmes ici!»

L'excès ramène au même point: près de la folie... Autant rester aux abords! travailler le Bourgogne corps à corps. Demande-t-on au comptable ivrogne ce qu'il pense de supporter le vin dans ses chiffres? Le vin d'cinq ne supporte pas le trente parce que c'est la fin du mois... COUCOU! fait le coucou suisse.

«T'es pas tout seul à être complètement rond; pense à la terre, bordel!

— La terre à boire... Être rond est une élimination de la surexcitation, déclare Babache. Tu commences à être bien. Un travail de dégustation ne se passe jamais cent deux bouteilles. C'est la comparaison qui conte gouttes. Soyons incompétents en matière de prédestin! Ce Bourgogne est un assassinat. Allons dans le sublime! Nous repartons de quatre ans en arrière avec un petit Bourgogne 1976, Leroy d'Auvernay... J'te dérange peut-être? (alors que tu te promènes au plafond) Comparons les deux! Septante-six, ça fait neuf ans! Ouf!...

— N'oublie pas que nous travaillons, reprend Babache... Souviens-toi de ce parfum et essaie celui-là. Y en a un qui a plus de vécu. Le dernier est mature et plus profond, moins adolescent. Il a perdu son adolescence sous un bouchon.»

On goûte sympathiquement.

«Regoûte un peu celui-là... C'est ça le travail! Celui-là est plus jeune, plus vert, il est plus en surface. Celui-ci est plus mûr, il en perd son acide! C'est fou ce que ça ressemble aux gens... Ah! c'est bon! Par contre, le jeune a plus de bouquet que le vieux. Ce que le jeune explose de vert, le vieux l'a à l'intérieur. L'un et l'autre sont cependant complémentaires. Le premier, plus jeune, dégage un goût, mais le deuxième t'entre dans le corps, plus sérieusement. C'est un combat perpétuel entre la coquinerie et la flatterie. Faut pas se faire chier avec tout le bataclan!»

Le «1976» est moins «heavy», mais plus intéressant que le «1980», odorant et fringant. Le vin, c'est mettre des mots sur des sensations... Sensibilité errante, c'est le sentiment qui existe. Le vin, c'est le diable! À chaque bouteille vient une âme dedans... «Le vin vert est un petit jeune con qui va nous faire chier, alors qu'il devrait aller faire ses devoirs!» détermine Babache. Coucou! Tiens, revoilà le Temps qui sort de sa niche! Le goût est d'une importance nasale très noble, monsieur. Est-ce long ou court en bouche? Flatte-t-il ou agresse-t-il le palais?

À travers tout ça, notre lavage se fait tout seul... Cette machine a fonctionné à notre insu en surveillant notre boire commun. (Voilà bien l'ambiguïté de la femme implantée mécaniquement!... à notre insu.) Le vin est sublime, mais il y a un dépôt! Laissons-le reposer au guichet. Il n'est pas filtré. C'est pas négatif! L'âme ravie s'échappe par le goulot... le sceptre d'or... des viticulteurs... de son ivresse magique... ramassera cette jungle de linge propre...

Dos au miroir du Ticon, Miguel déclara: «Pour une fois, y a au moins quelqu'un de sympathique dans mon dos!!!»

101. (PARENTHÈSE)

Elle était Allemande et s'appelait Anna. Tout à fait incapable de se laisser aller. Incapable de se sortir de son monde pour entrer dans l'univers... Pourtant, vaut souvent mieux être loin et moins malheureux que tout près et pas heureux du tout! Elle voyait Paris comme étant: rêve, amour, illusion et réalité... la vie, quoi! Mais elle y vivait dans la déchirure de son divorce, des oiseaux de larmes plein le cœur...

Maurice chantait «Aux Assassins»... des chansons «copulaires», comme disait Anna. Que l'Allemagne se détende! «C'est la grosse bite à Dudule...» Anna souriait et, tout à coup, elle philosophait sur la situation, en buvant du Vichy au pays du vin. «Les choses de la vie se résolvent par la soif!» laissa-t-elle glisser entre deux rangées de dents superbes. Que l'Allemagne se détende! Qu'elle oublie ses déchirures! Qu'elle se les fasse embrasser! Qu'elle s'embrase! Qu'elle défonce son mur à Gustave!

«Immolez-moi tous ces vieux en haut de soixante-quinze ans... Ça coûte trop cher à faire vivre pis ça n'rapporte plus une cenne!» conclut Saint-Guy, en voyant un «Cœur Volant» passer sur sa mobylette, avec son casque et sa pipe... «Un inconnu a volé mon cœur, il s'est enfui comme un voleur...»

Aujourd'hui, même le Luxembourg est dépeigné! Le vent se laisse charrier le long des rues et ses pas à pas s'allongent.

PIZZA NON-STOP, boulevard de Magenta. Ubald et compagnie y étaient simplement attablés à déguster quelques pâtes d'une correcte saveur, lorsque Poulet-Chasseur décida, le plus normalement du monde, de se rouler une cigarette de tabac Drum. Le garçon de table, croyant avoir affaire à quelque joyeux fumeur de came, fit un clin d'œil complice en leur direction... Coup d'œil qui en disait long sur son envie de participer. Par mille détours à l'italienne, il fit savoir qu'il était lui-même un joyeux adepte du calumet de paix et quémanda discrètement ce qu'il croyait... Poulet-Chasseur, sentant la frénésie du mauvais coup l'épanouir, s'empressa d'acquiescer à sa demande en lui roulant aussitôt un beau «stick» de tabac. Le garçon s'en fut, tel un agent secret, aux mille contorsions. Il revint, l'œil éclatant comme un miroir sans tain. Poulet-Chasseur lui en roula un deuxième, que notre zouave glissa dans sa manche, en regardant ailleurs... Il rappliqua bientôt, surélevé d'un cran, avec un litre de rouge approprié à l'insu de son patron. D'un doigt sur les lèvres, il fit signe de maintenir un climat de «semblant de rien». Il déposa le pinard sur la table avec son pied gauche, en virevoltant sur la paume droite, à la façon d'un matador qui cape son rouge à l'envers. Hilarité toute contenue tentant de fendre la gueule en s'étirant convulsivement jusqu'aux aisselles.

Ils quittèrent le resto en s'esclaffant, ayant préalablement pris soin de lui en laisser un autre, comme pourboire pour fumer.

Après quelques heures de joyeux picolage dans les bars des alentours, ils se cognèrent à nouveau sur le même joyeux luron de garçon, tout décalé d'avoir perdu son boulot. Il avait échappé les assiettes, renversé les sauces, bousculé les tables, expliqua-t-il... Maintenant, il était sans travail, euphorique et heureux. Poulet-Chasseur lui en roula un autre... pour la route.

109. SAOUL LES PONTS DE...

En ce temps-là, alors que Jésus vagabondait en Galilée, je reçus un appel de la maison d'édition: «Alors, Séville, vos contes, ça vient?» 42 525 dollars d'à-valoir et je n'avais encore rien fourni! J'essayai de m'imaginer des formes d'histoires primitives. J'entends par «primitives» les histoires qui ont su se manifester dans l'esprit populaire, à un moment donné... «Quand il entend sonner la messe, Saint-Daniel se dresse tout ébahi: Ah! fait-il, comme je suis malheureux! À cette heure chacun fait son devoir et moi je suis ici comme un bœuf à l'attache qui n'est bon qu'à brouter et à manger sa nourriture...» Mais le cœur n'y était pas... Je songeai alors: pourquoi n'écrirais-je pas l'histoire du gars qui a des contes à rendre mais qui est incapable d'en écrire? Ne serait-ce que pour savoir comment il dépense les 42 525$? L'histoire du gars qui vit son propre conte à son compte... L'histoire du gars qui conte ce qu'il boit et ce qu'il voit dans ses histoires: des animaux, si possible... C'est toujours plus humain, les animaux! Un peu de camaraderie, c'est tout ce qui reste de toute façon! Un soupçon de boisson, à peine, du bout des lèvres, du sexe et de l'amour. Voilà la formule!

Mille Flamands entrent dans un café, un dimanche matin, en jactant un langage incompréhensible. On dirait qu'ils mâchent des clous... toute la famille au complet. Chacun grignote sa chique de laine d'acier... On se croirait dans une ferronnerie verbale, une quincaillerie de mots, un moulin à paroles métalliques, une cassette qui s'avale à l'envers. Une hernie avec trois H. Une vraie histoire belge!!!

Saint-Zéphirin rendit une petite visite à son copain Saint-Robert, sous le Pont-Neuf, mais celui-ci n'était pas dans sa boîte... et les occupants des boîtes voisines roupillaient tous paisiblement, en se caillant dimanche après-midi, emmitouflés un tant soit peu comme de joyeux Hell's Angels dans leurs joyeux sleeping bags. Saint-Zéphirin se retira donc de sous le pont, sur la pointe des pieds... pour ne pas réveiller ces respectables locataires... Qui dort, dîne et il est important pour le bon ivrogne de bien cuver pour bien récupérer... L'hiver va être dur! Chemin faisant, il rencontra Ubald sur le trottoir de la rue Dauphine... Ubald avait bien, lui-même, dormi un peu partout à une certaine époque... Sous les galeries à pilotis, dans les entrées de building, sur les bancs de parc, à la belle étoile, dans les cabanes de pêcheur, dans les granges de fermier, dans les prisons de juge, dans les maisons abandonnées, les immeubles désaffectés, les flaques d'eau, les pelouses et les plages... Ce genre de vie ne l'effrayait pas et il en connaissait les règles... L'ayant cependant trop vécu, au bon moment, il ne ressentait pas pour l'instant le besoin réel de s'y replonger; en admettant toutefois que la vie pouvait l'y ramener, dans le futur. La misère qu'on se donne et celle qu'on subit n'est, en effet, pas du même âge... Ubald songeait à sa vie de désœuvrement et préférait y mettre plus de créativité, pour le moment. Le passé ne devait pas s'outrepasser et se traîner par son boulet, trop longtemps... L'hôtel des courants d'air est complet et ça sent les feuilles mortes foulées. Peau de vieux chien à trois pattes, tiré par sa vieille!

103. RAISONS SOCIALES

Le barbier de la rue du Roy est formel: «La pire coupe de cheveux qu'il me fût donné d'exécuter sur la tête d'un enfant était pire, à long terme, que la guillotine... elle s'appelait: la coupe Nestor. Ça fait seize ans que j'exerce à gauche, ce métier, debout (à cause de ma colonne), et je n'ai jamais vu une coupe de cheveux telle que la coupe Nestor. Les cheveux dans les yeux, ça coupe la vue! J'avais beau avertir les parents, ils disaient: non! non! il sera plus beau comme ça... Plus beau comme ça? Moi, je savais que c'était pas bon pour les yeux.» Si le barbier de la rue du Roy le dit, c'est vrai! Il le sait. Il boit, lui-même, à l'insu des clients, dans son arrière-boutique.

Ce cher monsieur Le Pen, Jean-Charrie de son prénom, fait la manchette avec des propos sous-entendus: il entend déraciser le racisme en le déracinant. Le sexe est vraiment d'un autre culte racial! À cul sûr! À l'heure où chacun essuie son destin, les routes se séparent et s'écartent comme des jambes. C'est dans la tête que la ségrégation se fait... C'est une maladie du genre humain accordée à l'inhérence, à l'ignorance et, bien sûr, à l'immigration. L'auto-défense, le mépris, l'argent, le chauvinisme, la moquerie sont autant de facteurs déterminants.

«Si t'es pas content de faire un boulot dont les autres ne veulent pas, casse-toi! Rentre chez toi! Y a du soleil là-bas!!!» Ubald avait ses montées de racisme comme tout le monde, c'est normal!... et le monde a le dos large. La boule porte son racisme sous son dos... et quelquefois, ça fait une bosse. On sent la fièvre qui monde. Ça prend forcément des races différentes pour créer un bon racisme, sinon on n'assiste guère qu'à de petites chicanes de paroisse, de menus propos entre voisins jaloux, d'interminables querelles de ménage... et ça devient un peu chiant, à la longue! Les Esquimaux, donc, dans leurs igloos! Les Indiens, dans les réserves! Les Nègres dans les taxis, le sport ou la musique! Les Hindous-malades-avec-un-pansement-sur-la-tête, à l'hôpital! Les Italiens, à Palerme! et les Arabes, à Paris! Les Français, à New York! et les Québécois, en Floride (c'est pas loin de la Louisiane)! Les punks à Beyrouth et les pantalons à Chicoutimi! Les marxistes aux Canaries et les Cajuns à Ottawa! Les vampires à Hollywood et les Krishnas en Transylvanie! Les Chinois, les Viets, les Grecs, dans les restaurants! Les Polonaises, dans les chambres d'hôtel! Saint-Robert dans sa boîte! Saint-Laurent dans son lavabo! Saint-Daniel, à la messe! Le Yâb au ciel! L'bon Yeû en enfer! Pinochet, dans les déchets! Duvalier au Labrador! Sri Lanka, etc. Ô Canada, poubelle des États! et Reagan dans l'espace!!!... avec l'Ayatollah, Kadhafi et Julien Clerc.

Aimez-vous, les uns les autres!... mais pas trop longtemps. Ça devient plate, vite! On va faire un gros couscous, pour tout le monde, avec des succès british, et de la moutarde de Dijon... Ça nous montera sûrement au nez, à un moment donné!

Why don't you just have a sweet all ameri-canned beer? Speak white! for Christ sake... and wash your hands for your own protection! Les jambes des uns dansent, les bras des autres travaillent... Le commerce des armes et des guitares s'en porte très bien. Y a que l'apartheid qui est encore un peu à part, peut-être? mais on leur fera bientôt un touchant cancer bénéfice. Les yeux de la fin. We are ze world! Tears are not enough? T'en as pas assez? Y a pas d'porte chez vous? Y fait frette dans l'restaurant!

«J'va t'manger un œil!

— C'pas grave!... j'suis myope!!!»

Bang!!! Explosion... Un camion blindé, à forte dose. La chair des occupants se ramasse dans la rue et les dollars s'envolent dans les airs, à la plus grande joie des balayeurs étrangers. Métaphore mystique peut-être? Comme disait Nietzsche: «... ce que je touche devient lumière, charbon ce que je délaisse. Je suis flamme assurément...» Serions-nous coincés dans un passage métaphysique, un douloureux scénario dont le dénouement nous neutralise?

Ainsi, Dieu créa la femme, un samedi soir et se reposa de l'engueulade, le dimanche, toute la journée. Faut-il faire rimer aberration avec tentation? se demanda Yahvé... et il inventa le sexe pour forcer ses royales procréations à voir aux renforts de l'espèce. Fierté divine. Cri des siècles. Adolescence prolongée dont la violence est l'acné naturelle.

Le barbier de la rue du Roy, pour sa part, dit que tout cela est arrangé... Si on fait baisser la vue quelque part, c'est pour remonter le prix des lunettes ailleurs. Tant qu'à couper dans quelque chose, il faudrait peut-être couper au bon endroit, couper simplement le surplus qui n'est là, en fait, qu'à titre de perruque extravagante sur le globe terrestre. Le mal est sous le toupet. Voyez la bosse? Voilà le vrai dépotoir de l'immigration!

104. ... À QUATRE PAS DE SA MAISON

Ici repose
Jean-Denis CHEVALIER
Régisseur
décédé le 26 août 1839, âgé de 67 ans.
Il fut bon époux, bon père, regretté de sa veuve,
de ses enfants et de toute sa famille.

Un chat se profile sur la tombe d'Antoine Abel du Vidal Marquis de Mont Ferrier, né le 17 avril 1861 à Tonnerre (Yonne) et décédé le 11 septembre 1937 à Paris... et va calmement s'étendre sur la pierre fraîche de Jeanne Charlotte Petit-Jean, décédée à Paris, le 25 mai 1830, dans la 82e année de sa vie.

Ubald se souvint avoir eu un chat de cette trempe, vingt ans auparavant... Un chat noir nécrophile qui adorait se prélasser sur la pierre tombale du salon funéraire d'Ubald... Pierre tombale (indéchiffrable du fait de l'usure du temps) subtilisée au cimetière de la Côte-des-Neiges, in Montreal, un soir de gros trip. Ubald dut prendre de l'acide pour que le lettrage de ladite pierre reprenne vie et lui saute lentement aux yeux. Il y vit apparaître le nom d'une petite fille de dix ans, des années 1800.

C'est plein de chats maintenant... Pas étonnant! car c'est aussi plein de tombes... et de feuilles soit tombantes ou soit déjà tombées. Ubald prit place sur le marbre cendré de monsieur Koo Ke Kung...

qui vécut du 18 août 1918 au 17 avril 1976. Voici Salomon Georges Laredo qui arbore fièrement son étoile de David pour souligner son récent trépas de 1981:

Francis-Marie Lumière, pour sa part, allumé le 18 juin 1890, s'est éteint le 22 octobre 1968, sans doute à la suite des événements de la même année. Sur le tombeau de la famille Fougères, il y a un pot de fleurs vide et retourné... Forcément, les fougères sont de l'autre côté!!! Monsieur Adolphe Eugène-le-bien-né Dugrit est bel et bien mort en 1885, sous une vieille roche de la même couleur que son nom. Jean-Baptiste Lien, pour sa part, a coupé le sien en 1974, après l'avoir retenu depuis 1908. La famille Magloire dort glorieusement sous un bol de tulipes en plastique. Madame Geoffroy est refroidie depuis 1907 et, avec le temps qu'il fait, ne se réchauffera pas de sitôt... À lire le nombre de Bègue qui s'étalent sous le même granit: Paul Bègue, Marie Bègue, Jean Bègue 1810-1899, Blanche Bègue 1846-1900 (née Popot)... Y a de quoi cligner des yeux! Maurice Bourée, ivre-mort en 1978, avait commencé sa cuite en 1896. Jacques Legrand, 1900-1935, a une bien petite taille! Il est tombé jeune. La famille Menuisier brandit un crucifix, fait de céramique, ornementé de chrysantèmes du même matériau. Émile Jourdain s'est jeté dans la Mer Morte le 12 mai 1943, en pleine guerre probablement. Il avait commencé son périple le 2 juin 1874. Charles Dupuis a touché le fond, en 1900. Yvonne Nouveau, 1893-1973, a eu droit, pour ses quatre-vingts ans, à la pierre tombale la plus nouvelle de son quartier: du beau granit noir... À faire crever de jalousie tous ses voisins! La comtesse de Ségur, elle, née Céline Seure, dite Cécile Sorel, 1873-1966, repose simplement sous un pot de vraies fleurs, un peu séchées, quand même... C'est le mortel mois de novembre.

Sur Alésia, Ubald trouva un bistro où la bière était fraîche et l'atmosphère vivante. «Faut pas casser les habitudes!» sourit la patronne, accueillante comme trois. «J'aime bien les gens!» pensa Ubald. Libre comme l'hère errant, il s'en fut sur le tapis roulant de Montparnasse-Bienvenue. Nonchalamment, au retour des enfers, le ciel en deuil regagnait sa crèche, en pleuvant...

105. LE JOCOND

Icare Landreville était un petit propriétaire terrien qui ne riait jamais. À croire que dame folie avait dû l'oublier dans ses frasques, sans jamais le visiter. Il n'est rien de tel que ces situations, bien qu'au premier abord, il semblerait moins grave de ne pas avoir connu ce qu'on a jamais eu, que de l'avoir perdu en ayant su ce que c'est. Il est difficile d'admettre que jamais souffle de tête folle n'avait soulevé le toupet d'Icare, et pourtant c'était bien le cas!

Juché au faîte même de l'indifférence, en plein contexte social, se dressait le château-fort de sieur Icare. Le temps même n'y entrait pas... Si ce n'est sous forme de citation, du style: le temps, c'est de l'argent! Son béton était tel que rien n'avait réussi à faire sourire même une de ses portes cochères. Un soir troublant où Icare Landreville faisait ses contes, en suivant les conseils prescrits par le docteur Lajoie-dans-le-sommeil, pour l'aider à se détendre (ouf!)... un soir troublant donc, le docteur lui versa malencontreusement un demi-litre de vin rouge dans le gosier plutôt que de l'huile de lin dans la vitre du rosier rouge... À l'instar de beaucoup de traits de génie qui font leur marque dans le monde sous forme d'erreurs par distraction, c'est ainsi que l'articulation se fit: Icare Landreville explosa de joie. Dans un premier temps, ses pupilles furent étonnées... Puis, petit à petit, à mesure que les petits didiers lui dardaient l'épiderme de leurs fléchettes, Icare osa tenter de s'étirer la joue gauche vers l'extérieur, en plissant son œil. Soudainement, il fronça les sourcils dans une toute autre direction, en leur donnant même un petit sprint vers le haut. Une canine voulut lui sortir de la bouche et lui pinça une lèvre. Ses oreilles lui tendirent un piège en lui faisant entendre un timbre se tendre tendrement dans la tenture de ses tentacules teintées... Icare sourit. Henri chatouilla sa plume...

106. HISTOIRE DE POUTINE

Poutine, le «speed freak» boutonneux, était un des seuls vrais «artistes» irresponsables du coin. Tellement que, malgré sa réputation de voleur de caches, de pilleur de piaule et de récidiviste malade, on l'avait laissé vivre... Combien de fois avait-il risqué la défiguration suprême? mais ceux qui auraient pu l'arranger de la sorte trouvaient que Dame Nature avait, elle-même, assez bien collaboré au massacre, d'ores et déjà. Poutine était une malingre brute dont on avait fini par avoir pitié, malgré tous les portefeuilles volés, les effractions chez les amis (où il connaissait les moindre racoins) et son physique de tête d'acide à vous enlever le goût d'en prendre... Pendant des mois d'ailleurs, il n'avait bouffé que de l'acide, s'amusant à se faire griffer la figure par les chats, à défaut d'autre chose.

Je ne sais quel sentiment de faiblesse humanitaire exsudait de lui mais on s'y reconnaissait tous un peu. Il est vrai que nos vies étaient tellement en petits morceaux à cette époque... petits morceaux que nous croquions à bouchée double, loin du croquis futur. Poutine était issu d'une famille du même acabit... C'est-à-dire que ses frères présentaient tour à tour les mêmes somptueux traits, apanage morphologique de la famille: yeux vaporeux, barbichette hirsute mais clairsemée (comme une touffe de luzerne au-dessus du fourneau), nez en poignée de porte, mâchoire en tiroir de caisse enregistreuse. Voilà sans doute pourquoi Poutine subtilisait surtout chez autrui les éléments susceptibles d'être placés sous son nez ou dans l'orifice lui servant de fume-joint. Sinon Poutine ne foutait diantre rien... Il fit, par conséquent, moult séjours dans les basses-cours gouvernementales clôturées... et, au juge qui lui demandait ce qu'il pensait de sa sentence de treize mois remise à neuf, il répondit qu'il n'avait qu'à prendre sa pilule. Il estimait que ses mauvais instincts, enfin, ses instincts naturels, s'avéraient nécessaires, utiles et très opportuns quant à la conservation de son espèce. D'apercevoir les élus rampant sous les légalités de la vie le poussait plutôt à, tout amicalement, leur foutre le limbo stick dans le cul. Il se servait par ailleurs de la loi d'une façon toute personnelle... comme la cellule pour dormir l'hiver... ou encore en utilisant le devant de la voiture d'un abruti et en s'y projetant pour sous-tirer le magot des assurances et pouvoir ainsi continuer sa vie de roi, le plus paisiblement du monde... Malgré ses actes les plus diaboliques, il s'angélisait parfois à l'écoute d'un air de plénitude céleste. Poutine était un être humain qui mangeait de la soupe et qui partageait également tout le produit de ses vols, incapable de consommer tout seul. Le fait de voler, pour lui, s'apparentait plutôt à l'oiseau... qui prend herbes et vers dans son bec, pour en faire la distribution comme Robine-des-Bois, voleur des pauvres. Il était décidément un genre de poète à sa manière: incapable de le dire, mais puissant de l'écrire. Un pseudonyme sous une peau de crapaud, avec plein de bulles de tendresse dessus... dont personne ne veut.

106 1/2. À PROPOS DE TIBURCE ET RITA

Tiburce sortit de la brasserie dans un état lamentable. Il avait vomi dans ses souliers et ça débordait de chaque côté, quand il avançait... Il glissa quatre pas en avant, avec la vague impression d'être sur une planche à voile. En surface, des flaques de cadavres noyés dans les modes se pavanaient dans l'impersonnalité la plus copiée, les uns sur les autres, en tentant de se hisser au-dessus du niveau visuel.

Tiburce se réfugia dans la cabine téléphonique pour laisser passer la marée de nausée et vider ses souliers. Il possédait en lui, malgré tout, quelque chose que tous lui enviaient, d'une certaine façon: il avait toujours et encore seize ans... C'est-à-dire qu'il n'avait rien à foutre, pouvait niaiser à loisir et passer de longues journées, accoté sur un poteau au coin de la rue, à quémander des sous pour les bonnes œuvres: les siennes. Si on en revient à la brasserie elle-même, celle-ci n'avait rien d'attirant comme tel, les murs étant d'une laideur qui ne rivalisait qu'avec celle des clients et des clientes... (si l'on peut appeler ainsi les joyeuses larves édentées qui s'y racontaient des niaiseries depuis des siècles, entrecoupant leur borborygmes imbéciles de quelques bavures de bière d'une très haute finesse).

Tiburce était un vieux coq rapailleur de poulettes. Non qu'il se soit cru beau lui-même, mais il les voyait toutes si laides qu'il se disait que d'autres n'en voudraient pas, de toute façon... Il leur donnait donc, à elles aussi, une raison de vivre, de flyer, de se battre et d'haïr. Il va sans dire que la bagarre fréquentait cette brasserie avec assiduité... Dans le poulailler, sa préférée, la plus grosse et la plus moche, se nommait Rita Picard. C'était une vieille poule de luxe qui jadis s'était exhibée pleine de plumes sur les plus grandes scènes de son univers. Pour nourrir ses poussins, elle s'était foutue le cul sur la paille et avait fini par mettre tous ses œufs dans le même panier. On l'avait aperçue sur certains juchoirs de la vieille ville, complètement saoule, caquetant et déféquant publiquement. Il faut dire qu'à part la bière et les graines, Rita-la-tache n'avait jamais la chance, comme les autres poules de bonne famille, d'avaler du solide... enfin? d'équilibrer son alimentation en picorant, pour ainsi dire, la garnotte essentielle à sa digestion de poule. De ce fait, sa chair de poule en prenait tout un coup. On avait fini par la surnommer: Rita, la poule mouillée. Elle mouillait, en effet, pour rien... et restait collée à son foutu perchoir de Tiburce, qui mouillait lui-même dans des transactions liquides plus ou moins légales, des transfusions plus précisément, ses veines en étant pratiquement toutes foutues. Tiburce n'avait vraiment pas de veine.

L'amour tient parfois à de drôles de liens et, d'une certaine façon, ces deux-là s'aimaient à la folie. Les voies du Seigneur sont vraiment impénétrables! On disait d'eux qu'ils faisaient une belle paire...

«Tu sais que je vais te fendre le cœur?

— Comme il est déjà fendu, t'auras pas trop d'ouvrage!

— T'es pas un cadeau, mais, des fois, tu y ressembles.»

106 3/4. LA POULE AUX ŒUFS D'OR: TOUTE LA VÉRITÉ...

Rita était effectivement une vieille poule d'une douzaine d'années, recueillie jadis par les tenanciers d'un cabaret de bas acabit qui la laissaient à la merci des clients les plus purs et les plus ivrognes. Une poule dans un cabaret!!! Celle-ci quittait la scène, grimpait sur les tables et buvait dans les verres, à la grande joie des consommateurs qui parfois venaient de très loin pour admirer le phénomène. Rita se faisait volontiers la mascotte des pauvres d'esprit. Il arrivait souvent, en plus, qu'à la fermeture, de riches damnés pleins d'ennui, sans imagination et en mal de s'encanailler, tentaient de profiter des attraits de la poule saoule. Rita, en revanche, savait tout autant profiter des leurs et chaque fois que ceux-ci (surtout les dames) devenaient passablement familiers avec elle, du moins assez pour la laisser se percher sur leurs épaules de fourrure, elle leur gobait les boucles d'oreilles... attirée par ce qu'elles avaient de plus brillant, sans doute? Combien de fois la direction dut-elle recevoir des plaintes à cet effet? Et chaque fois, Lucien, le gérant, devait aller fouiller dans la matière fécale liquéfiée du lendemain matin, en cherchant la perle rare... Ne faut-il pas aimer brasser d'la marde?

107. FRANCORICAN GRAFFITI

«C'est fou ce que ces rockers français attachent d'importance à leur look! On voit bien qu'ancestralement ils étaient les rois du déguisement... Les peaux, les fourrures et les miroirs, ça les connaît! La mise en place suggestive ne leur est pas étrangère, mais l'essence? Ça, c'est une autre chanson! C'est fou comme ils sont fascinés par ce qui ne vient pas de chez eux et comme le cachet extérieur est important pour eux! Ces rockers ont l'air de marionnettes avec des sous-titres...» pensa Lucien, le héros. Avec un chauvinisme chauve, les rockers s'observaient, se soupesaient et se jaugeaient... Pauvres coqs de foire enfoirés! Lucien était sans cesse déchiré entre l'écriture et la musique. Entre la solitude et la parade. Dès son tout jeune âge, il avait rêvé d'être connu. Déjà, dans les bas-quartiers de son adolescence-à-gogo, il revendiquait la gloire des mauvais coups qui le rendraient célèbre, à son insu. Il barbotait dans une sauce «american dream» où il nageait aux côtés de James Dean et de sa lèvre supérieure au repli hargneux. Vous savez? cette espèce de sourire ressemblant à s'y méprendre à une grimace crispée face à l'univers entier?... Lucien défiait ainsi le Veau Gras. Enfant prodigue sur une terre de cultivateur, il ne rêvait que de semer la merde. «Tu récolteras ce que tu auras semé! lui répétait, sans cesse, son paternel. Qu'as-tu à être révolté? Tu manges pourtant huit fois par jour. Tu ne manques de rien. Tu as du beau linge propre, de belles dents égales...» Mais Lucien avait le sens de la sécurité mal placé. C'est-à-dire que son corps pouvait déambuler sous n'importe quel déguisement sans que son côté mental ne puisse vraiment en être changé. Autrement dit: il sentait inconsciemment qu'il ne pourrait jamais choisir aucun genre de vie, hormis une recherche périlleuse à travers les cicatrices de l'existence... aucun genre de vie qui le satisfasse béatement. C'est ainsi qu'il fut confronté au phénomène de l'écriture. L'écriture: cet éternel dilemme entre la vie et la mort, cette ambiguïté qui rejoint les gens dans leur instabilité la plus secrète. «À quoi ça sert de se faire mal comme ça? se disait sans cesse Lucien... Est-ce là l'appel de la vocation? Tu voudrais bien changer de cap, mais c'est plus fort que toi, c'est le cap même qui te choisit, comme une antenne. Tu ne peux t'y soustraire, c'est la nature même de l'âme: ombres et lumière... le rebondissement même de son trouble. Un vrai rocker est toujours piqué comme une étoile de shérif dans le ciel insécure. S'il se cloue au beau fixe, il devient malheureux comme un Jésus.»

La rockitude française le rebutait. Il pensait ferme que le panache extérieur est une plénitude formelle du vide de fond. «Pourquoi faire une mode du désespoir? clamait-il... On ne se personnalise pas en se pavanant! C'est quoi l'idée du rictus de mascarade?» Tant de crémage sur un gâteau pour jeter la poudre aux yeux! «Il faut embellir le désespoir! soutenait le syndicat des décorateurs ancestraux... Tout cela est une industrie! l'industrie du désespoir camouflé. Nous frôlons la distraction pure! Notre cellule en est une de divertissement! Qu'on étale donc les perruques, les maquillages, les attitudes provocatrices, les déchirures bien placées, les néons et les couleurs! Nous vivons à l'heure de l'écran trompe-la-mort! Nous mourons à l'heure du contenant copieur!»

Lucien prit son gun et tira dans la télé. Pauvre monde!!! Johnny Halliday (Jean-la-Vacance), le visage en sueur derrière ses verres fumés aux mille reflets, tomba lentement à genoux en se contorsionnant. Un mince filet de sang, rouge comme les lèvres de Fanny Ardant, teignit sa tempe gauche... Non! Attendez! c'était la droite... et Johnny lâcha un grand: «Yeaaaaaaah!» devant une foule de biscuits soda fanatiques à l'allure vach'ment «in», alors que soixante-huit synthétiseurs agonisaient sous les applaudissements.

Lucien remit ses bottes de cow-boy et fit tinter la clochette de sa machine à écrire, en vidant son verre...

108. TÉLÉVISIONS

(La crève retransmise de bouche à bouche à oreille: cassettes d'engueulades familiales, de silences et de bons conseils.)

«Je comprends bien votre accent traînant... Moué... Toué... tout ça! Chez nous, en Normandie, on disait: «As-tu barré la porte?» et on prenait plaisir à saouler le garde-champêtre. Aujourd'hui on ne discute même plus en famille, on regarde la télé!»

L'émission de télé, à l'intérieur du café-bar de la rue de Nancy, a tellement plus de rapport avec la vie! Les personnages sont là, avec leurs gueules typiques et on n'a qu'à inventer le scénario et à le renouveler à chaque verre. La patronne, une barbe blanche de quatre-vingt-trois ans au menton, règle la situation depuis quarante et un ans au sein de son théâtre. Le chien renifle les couilles des clients et le vieux à casquette, assis dans son coin, s'appuie sur sa canne de la main droite et sirote son rouge de la gauche... Tout ça est branché sur la chaîne du 10e arrondissement et des après-midi tranquilles où on parle de tout et de rien. «Merci madame!» «Au revoir, jeune homme!» «Et surtout, madame, ne mettez jamais de télévision dans votre établissement!!!» «C'est trop petit, monsieur!»

Rue Saint-Denis, les putes ont sûrement froid dans leur corps sages... La crève rôde et frôle les filles malgré toute l'humanité de leurs gestes. Ça craint! «Y a de quoi se laisser mourir au bout de son encre!» Bateau pour marins échoués demandé...

Rue Blondel, une Négresse s'ondule la croupe. Dans le couloir humide, sa cuisse s'offre au frisson (boules au frette, entre-seins sinuant leur ligne de vie, seins énormes) à la vue des enfants... Télé éducative par excellence!...

Le froid flâne le long des trottoirs, en racolant les spectateurs. L'amour sur scène pour cinq francs seulement... Anthologie du plaisir... soixante francs dans l'intimité, seulement... Regard de feu, messieurs! Un mètre soixante-dix de plaisir... Entrez donc! Ciné sex-shop time! Love burgers, life show sous les palmiers... Cowboy dream... Hard club 88... Hawaï 5-0... Hall au Sex... «Chauds les marrons!!! Chauds les marrons, au froid caillant!», projections permanentes. Ciné-club, Théâtre Saint-Denis, deux salles, propres... Self service... Delirium... Front page... Burger King!... Comptoir d'Asie... Ultra Son... Liquidation totale... Mister Goodfast... Pizza Pino... Café «Sandwiches variés» ... Free time for the money... La fontaine des amours... La Brasserie «Au cœur couronné»... Hit burger... Confiserie... «La reine des caves», Restaurant... Entrée des Artistes... «Tea for two»... «Monsieur Bœuf»... Fool for love... Slow food, fast food... «Old stuff»... «Air-Force surplus»... Variétés... Spécial télé sur téléspéciale! Le monde du sport et les romans-savon à portée de bidet. Informations générales dégénérées... C'est la guerre des sexes sur l'écran des temps... le tiraillement des pôles à travers l'antenne aux deux couilles g'lées... Retransmission, en direct, par satellite... Noyade publicitaire.

Une petite mémère, pliée en deux sous le poids des jours frisquets, tire sur son écharpe, comme pour se donner de l'élan. Ici, à part les gens, on ne laisse rien vieillir...

109. RACCOURCI

Les flics passèrent devant eux, avec leur tout nouveau costume vachement New York. Maintenant, on ne les différencie guère des facteurs et des gardiens de musée! L'hirondelle ne fait plus le printemps...

Sainte-Catherine s'inquiétant de la hardiesse gaillarde de ses compagnons de joyeuse infortune, Henri la rassura en la comparant à la compagne du brave marin qui cherche de l'or, de l'encens et de la myrrhe sur les sept mers, y compris la Mer Morte... Cette noble femme se doit de rester au port, à protéger sa progéniture, avec tous ses sens, pendant que le brave aventurier perfore son ininventable destin... «C'est parce que je t'aime, mais à partir du 2 décembre, seulement... Mmm... Y a de belles fesses qui dansent!» La jeunesse ne paie plus, y a que le crime qui paye! Quand on voit tous ces sexes qui traînent et qui ne servent à rien...

«Tes beaux jours s'en vont et les miens aussi, mais ceux qui viendront seront bien.» Ce sont les mots de tout le monde... Une sensibilité est incapable de dire ce qu'elle ressent. Baignant dans une salive cicatrisante, la musique se propulsait avec la tonitruance exigée dans ce genre de circonstance. Curieux comme la musique juive et arabe peut évoquer le même balancement! Sauf qu'ils se battent entre eux... Ça tient plus des hanches que des angles! On n'est pas maître de nos origines vénales...

Henri, touché par la grâce d'une littérature à la russe (rude, rigoureuse et balayée dans toute son étendue par la plainte du vent), sortit sur le parvis, en dansant le tango sur un reggae et en passant des plateaux de gâteaux, arrosés de champagne et de grimaces. Il se retrouva encore au Nazet, à son insu. Saint-Daniel, les yeux au ciel, rêvait aux grades de sa sainteté, en faisant des miracles d'additions et de sous-tractions, assis devant sa caisse. Ils étaient bien une vingtaine de didiers à boire compulsivement de la belle bière, en poussant les hauts cris relatifs à leur âge mental, leur âge de déraison. La génération antérieure s'organise toujours pour laisser ses gaffes collées à son sperme... et c'est la suivante qui hérite de tout, involontairement. Cette nouvelle dégénération n'avait rien à envier à la précédente. Tous ingurgitaient, comme les autres, de la belle boisson, en riant jaune de voir tous les beaux principes tomber en ruines. Ils voulaient avoir du «fun», un point c'est tout! Ils se trafiquaient des activités pas plus idiotes que le valorisant travail à la chaîne. L'amour, cette connerie qui a l'ineffable don de séparer les copains et de les éloigner de l'ivrognerie joyeuse, se tenait à distance respectable de ce saint lieu... On ne le laissait carrément pas entrer. Les didiers pouvaient donc s'y désaltérer en toute paix, dans la franche camaraderie, sans avoir à devenir de spartiates mâles stupéfiés par la femelle (sauf en cas d'hygiène, naturellement). Mais, l'amour, tout comme la mort, est une étape du voyage où on arrive tous, un jour ou l'autre...

Les sirènes émotionnelles chantaient dans le salon de thé adjacent, en contournant ces barrières d'une voix suave:

> Ne vous en faites pas, les didiers!
> On se reverra bien un de ces jours
> On ne sait pas quand ni où
> Un jour on est ici, un autre on n'y est plus
> On est ailleurs... pourquoi avoir peur?

Un vieillard ivre mort, un patriarche belge, par ces chants attiré, se leva... Les autres dont l'égoïste surdité n'entendait que le martèlement du juke-box imbécile, n'y portèrent guère attention. Le vieux se leva donc... fit deux tours sur lui-même et, voyant passer à l'envers le temps de ses frénésies galantes, tomba raide sur le sol. On lui mordit alors les oreilles, à la façon des croque-morts, pour jauger son état, mais on ne put deviner ce qui lui était tombé dedans. Sans aucun respect pour son ancestrale chute, on lui arracha son walkman et on lui fit les poches pour boire à son échéance déchue. Face à ce manque total de délicatesse, Lorelei, la chef des sirènes, se plaignit alors à Bacchus, Vénus et compagnie, et fit un tel bordel que ceux-ci décidèrent simplement de mettre un terme à toutes ces agitations en fermant les tavernes unilatérales et en les remplaçant sur-le-champ par des brasseries «Bienvenue aux Dames». Ce fut le miracle, l'embryon des grandes passions: l'alcoolisme mixte était né.

110. BEAT CREUX DANS LA MOELLE

Ce vieux bouc, avec sa barbe taillée en biseau, lisait le menu la gueule grande ouverte... N'avait-il pas l'apparence d'un fer à repasser? Osso buco!

Ubald, lui, ne lisait plus les journaux. «De toute façon, se disait-il, ce n'est que catastrophes par-dessus catastrophes et guerres par-dessus guerres, mensonges et doigts en l'air...» Il prit son petit déjeuner: spaghetti bolognese et demi-litre de rosso... en se racontant des histoires. Faut bien gagner sa mort! Ce n'est pas en inventant de nouvelles bouteilles qu'on va régler le problème de ce qu'on met dedans! «Pas question de ne pas se saouler, se félicita Ubald. L'alcoolisme, les Indiens et les réserves du patron, on connaît ça chez nous!»

«On se sent très féminine avec du poil partout, disait la fille au manteau de fourrure... Les Indiens, les trappeurs et les fourreurs, c'est bien!»

Ubald et l'inspecteur Épingle enquêtaient alors sur l'assimilation des peuples colonisés par l'alcool impérial. Ils erraient dans les rues far-westernisées de Central City où les derniers descendants des chercheurs d'or stationnent encore leurs bagnoles le long des routes, pour aller pêcher la pépite dans les torrents, avec leurs assiettes à pourboire... Nos deux lascars entrèrent dans un bar louche «where Buffalo Bill used to drink», par un bel après-midi ensoleillé... Quelques vieux Indiens décâlissés méditaient dans un coin. Ubald et l'inspecteur fumèrent avec eux le calumet de paix, une partie de la journée, en buvant tranquillement. Ils se retrouvèrent à un degré tel qu'à la fin, il neigeait quand ils sortirent. Ils décidèrent de franchir les Rocheuses, en pleine nuit, direction California... De là, ils traversèrent le long désert qu'on nomme, dans cet État, «Cactus National Park», mais qui deviendra incessamment «Cactus Mexican Dump», de l'autre côté de la frontière (grâce à l'efficacité notoire des paysagistes locaux et à leurs efforts conjugués). Ils coupèrent à travers les longues plages du Texas qu'ils mirent quatre jours à fendre, sous un soleil torride... lequel se mua en ouragan machiavélique, à la hauteur de Houston. Quelle soif! Les toits de maisons volaient si haut dans les airs que nos deux poireaux s'enfuirent aussitôt s'abriter dans le delta du Missisipi où le blues maintenait un peu plus de clémence au cœur de cette chatoyante contrée toute de vert moulue. Pigmentation qui les fit s'infiltrer doucement à travers les bayous d'une Louisiane étouffée de «spanish moss» et d'américanismes bâtards, à la sauce cajun... jusqu'à la Floride de la vieillesse... jusqu'au fin fond de ses Keys... qui nous ouvrent maintenant les portes sur une nouvelle aventure. Langue avide.

111. VAGUE D'IMPRESSIONS DE VAGUE IMPRESSION

Le Progrès entra en trombe dans le troupeau, en titubant d'hésitation: «Messieurs, dames... n'ayez pas peur!» Tiburce, Léo, Miguel, Archange, Alcibiade, Rita, Ubald et les autres levèrent la tête au-dessus de leur gobelet, d'où jaillissaient déjà les plus farfelus farfadets, avec l'air de dire: que cé qui veut? pour qui qui s'prend? Ils se serrèrent comme des lemmings en pleine course de surpopulation. Un courant magnétique de type sélectif avait accompagné le Progrès dans son entrée. Le Progrès, ce monstre sans pitié, glaçait maintenant l'espèce en créant un bain d'incertitude naturel. Les personnages s'accrochèrent à leurs verres, comme s'il craignaient de voir se changer leurs vieilles habitudes. «Messieurs, dames... Il vous faut maintenant aller jusqu'au bout de votre vieux stock et de vos vieilles peaux... Il ne faut pas avoir peur! Seul les plus forts d'entre vous, lemmings, sauront traverser ce courant... Un nouveal écran de vie se dresse devant vous. Il faut avoir l'esprit télescopique!»

Le Progrès s'installa à l'autre bout du comptoir, dropa une pilule pour son déjeuner-dîner ainsi qu'un peu d'eau en poudre, à laquelle il ajouta une larme de Vittel, pour lui donner un aspect thérapeutique naturel. Tiburce, qui était rond, roula à côté de lui en disant: «Son Honneur, j'espère que j'vous dérange pas... Vous auriez pas trente sous pour un café que j'le verse dans votre téléphone? À part ça, pouvez-vous ben m'dire ce qui va arriver, dans tout ça, à la bête du début des temps? Vous savez... cette bibitte compliquée dont on n'a pu encore définir et améliorer les sursauts de l'ombre?» C'était exactement le type d'incohérences qui troublait le plus le Progrès... comme s'il savait, inconsciemment qu'il engendrait sa propre ignorance à travers ses discours... que plus il poussait, plus il se heurtait au mur à Gustave. Il paya une tournée générale, en espérant, non pas monnayer la pauvre liberté d'esprit de la communauté présente, mais insuffler un peu de cette nécessaire notion de concurrence qu'il prônait, cette haleine de course aux idées nouvelles. C'est plutôt d'une forte haleine de bière qu'il fut entouré, lorsqu'il se mit encore à parler d'unité. L'assistance, buvant les paroles suspendues à sa lèvre inférieure, se pressa autour de lui, au point de presque l'étouffer. Mais on n'étouffe pas le Progrès, c'est plutôt le contraire... «Vous n'aurez pas le choix, en fait! précisa-t-il pour faire brèche... Sinon, vous deviendrez vite le tiers monde de demain. Il ne suffit plus d'avoir du cœur comme richesse naturelle!»

L'assemblée, saoulée par ses paroles, l'applaudit à tout rompre, sans même se demander si elle n'assistait pas là à une crise d'hypermaturité qui mettait la folie en fuite... ou en doute, à grandes claques dans le conte-gouttes des jours à venir. Comment défoncer des portes sans se défoncer la tête? Quand on est néophyte, on ne sait jamais d'avance comment ça va finir (et d'ailleurs, on s'en fout)... On a rien à promettre et on ne peut pas dire que ça ne donnera rien... Plus tard, on devine déjà la fin de l'histoire... Alors, on prend un verre, histoire de dire qu'on participe, puis on rentre dans sa boîte. Avec un mou dans la tête...

«Nettoyez-moi tous ces vieux débarras poussiéreux remplis de vieux tontons qui puent!»

Le téléphone chantonna: «Bonjour, c'est moi, Babache!

— Ouf! enfin une voix gastrique, scanda Ubald, défoncé comme une porte ouverte, devant un Progrès fulminant d'indignation. Amène-toi, Babache! Y'a l'Progrès qui nous martyrise la bête...

— Dis-lui de penser à sa bite... J'arrive! Je suis là!... Ne me cherchez plus! J'ai soif, bordel! À boire!»

112. NUIT HUMIDE

C'était une nuit de fou... On avait étendu les chauves-souris au rebord des fenêtres et ça respirait mal. Une nuit qui ne mène nulle part, qui n'avance à rien. Le genre de nuit déraisonnée qui a intérêt à devenir un lendemain au plus sacrant, en dissipant ses brumes serrées et ses cauchemards suspendus... Au plus vite. À la vitesse de la douleur... c'est-à-dire: lourdement et assez lentement pour qu'on ne songe plus à s'en souvenir vraiment. Une incorrigible nuit, toute tordue dans ses vices. Bref, une nuit de: j'aurais donc pas dû! avec une impression de clou rouillé dans l'âme...

Alors qu'un début d'idylle semblait poindre entre la 19 et la 21, on entendit des cris muets. Un groupe de mystérieux arrivants avait pris place à l'hôtel. De nocturnes passagers. Le veilleur de nuit, occupé à ronfler sur son divan charnel ne les vit même pas entrer. Et pour cause... la porte était fermée à clef. Les visiteurs avaient dû arriver de l'intérieur même de l'hôtel. Racine se leva, incapable de dormir, ouvrit sa fenêtre et contempla les récifs lunaires des toits de Paris. De sa chambre, la 23, il avalait d'emblée les reliefs sonores de tout l'hôtel car l'arrière-cour forme là une espèce de gorge, où la voix se projette comme dans un théâtre à l'italienne. Racine, en frémissant, tenta de remurer, de restructurer, pour ainsi dire, sa raison... sans y parvenir. Était-ce la réalité qui venait se mêler à l'incohérence de ses mises en scène internes? Il en demeura muet de stupeur... En tâtonnant, il atteignit la porte de sa chambre qu'il ouvrit lentement.

Une lumière noire d'une transparence troublante pompait l'air du corridor. Racine fit quelques pas en direction des toilettes de l'étage. Il passa ainsi devant la 21 dont la porte était grande ouverte. «Voilà la raison de toute cette musique! pensa-t-il. Ils pourraient bien faire chanter leurs glandes en privé!» Il ne put cependant s'empêcher d'y jeter un coup d'œil craintif. Il n'y avait rien! et pourtant on sentait la présence du vide, comme si celui-ci chuchotait une multitude de silences. Racine fit glisser son épiderme le long de l'escalier et se retrouva nez à nez avec une espèce d'Égyptienne phosphorescente qu'il n'avait jamais vue jusqu'à maintenant, dans l'hôtel; une créature dont le regard semblait alangui par un siècle de nuits blanches.

«Bonsoir! bégaya Racine... Vous attendez aussi?

— J'habite la chambre du haut, la 23, depuis 97 ans. Je suis la baronne Blanche Bidard. C'est moi qui joue du piano, la nuit... vous savez? Et vous? Vous êtes Belge, non?

— M'enfin, madame Bidou? C'est impossible, je suis moi-même dans la 23...

— Ah oui? Peut-être... Il y a déjà beaucoup de monde, vous savez? Venez, jeune homme! Au fait, quel est votre nom? Monsieur Racine?... dans le cinéma, dites-vous? Ah oui! très intéressant... Beaucoup d'ouvrage?»

Un tampon de moiteur se fit sentir. Racine aperçut un chien... ou plutôt l'ombre fouineuse d'un chien dont on ne devinait ni la race, ni la couleur, ni même la forme exacte... Un chien à trois têtes tout à coup, suivant l'angle où il étirait son cou. L'ombre se précipita par la fenêtre. La chambre 21, ouverte tout à l'heure, était maintenant fermée. Une jeune fille aux lèvres sombres se tenait assise dans un coin du plafond, comme si elle craignait quelque chose. Elle se mit à hurler: «Je les emmerde! Je les emmerde! Je suis libre!

— Elle est un peu survoltée, vous savez? Elle s'appelle Tana-les-lèvres-bleues. Depuis soixante-deux ans, elle revient répandre son esprit ici, chaque nuit... C'est l'hôtel du cul d'sac! D'ici on ne peut que retourner d'où on vient. Les clients y reviennent tous, un jour ou l'autre...»

Racine, la moelle poncée de sueurs, se mit à cogner et à cogner encore dans la porte de sa chambre. Soudain, sans bruit, elle s'ouvrit comme une fleur, sur le couloir de la cave. Racine entendit alors des gémissements étouffés venant de la pièce à débarras... D'un geste inconditionné, il ouvrit la lumière... et aperçut la Baronne Bidard dans les vieux meubles ainsi que d'autres souriants personnages entourant la femme de chambre polonaise nue et haletante sur une table...

«Je vous présente monsieur Racine! annonça la baronne... Il est dans le cinéma.

— Oh bravo! bravo! répéta la monsieur à la robe de Phentex et à la main griffée, tout en retirant le furet ondulant de l'aspirateur. Voulez-vous essayer vous aussi?»

Coulées soudaines du conte gouttes. Que voulez-vous? On évolue dans un monde qu'on n'a pas fait... Enfin!!! Y a qu'une issue: LA SONDE.

113. LA CITROUILLE

D'un coup de baguette, l'influente fée américaine a changé les flics français en flics simili new-yorkais brand new look... C'est fou, quand l'on considère un peu la juxtaposition de tous ces différents peuples, vieillis à si courtes distances dans leur rêve commun d'une tonitruante Amérique! Chacun ne sait pas ce que l'autre imagine de lui et ce qu'il manque à l'un, de l'autre... Un océan de tendresse. La culture, n'est-ce pas la pensée réunie de toutes les cultures? L'amalgame animal de tous les peuples? Le rire commun et si différent à la fois, la différence elle-même, universelle au possible? La réincarnation perpétuelle du lavage de vaisselle permanent? Le caractère de chien qui traverse les siècles, en dansant sur son folklore de connaissances. Us, coutumes, habitudes, traditions, patrimoines, fidélité aux origines et aux racines, amen... Cendrillon dans le cellophane.

«Oh! gracieuse femelle au ceinturon noir et au col vert... ne sais-tu pas tout ce que me suggère ton dos?» Hélas, tu te moules de conversations avec une espèce de «Brad Davis all american way of life style boboy», et tu ne sais quel enfer tu manques. Et d'ailleurs, je m'en lave vulgairement les glandes! se signa Perrault, d'un grand trait de rouge... Cendrillon ne s'est jamais douté de rien... Et elle s'est retrouvée la bédaine en citrouille, le cul en Halloween, avec un tas de crapauds princiers autour d'elle. Pauvre conte gouttes de fées pour jeunesse perdue qui s'étire!... Féérie retrouvée, l'espace d'un vaporeux repas au restaurant «La Citrouille», grâce à la magie rouge du vin qui réforme les déformations. Nouveau coup de baguette! (avec du pâté). Coup de braguette! Coup de queue! Coup d'rouge!!! Mais voilà les vilaines matrones qui rôdent pour faire laver la vaisselle à la mignonne Cendrillon aux cendres lunaires. Déjà le rêve s'estompe et s'encoquine. Minuit approche. Satan revient, toutes trompettes devant... le cauchemar devient réalité. Les lézards ressortent et Cendrillon va en oublier son soulier devant le sapin du «petit papa Noël quand tu descendras du ciel». Elle se fera flageller à nouveau par et pour son travail, car demain c'est lundi. La rêverie est finie, la vie commence. La vie. Réelle comme un songe anticipé. Nous irons à Belfast, mon amour, manger des lunes de miel piégées. Décembre revient avec son hostie de Noël, pour la plus grande des petites joies. Larmes enneigées, confettis lancés de force pour une fiesta obligatoire. Salut Cendrillon! enfantine salope...

«Aux États-Unis, on fait ci! dit un crapaud, à gauche.

— En France, on fait ça! dit un lézard, à droite.

— Dans le ghetto canadien-français de l'est de Montréal, on vous dit marde! pensa Perrault... Messieurs, dames, bonsoir!

— Entre nous, il n'y a qu'une mer d'ignorance de l'un de l'autre. Passez une nuit avec moi à baigner sur le dos et vous verrez, les liens se resserreront... Nous obtiendrons le même langage sirupeux qui universalise toutes les Cendrillons du monde... Cependant, expliquez-moi donc pourquoi les gens courent tant après le beaujolais nouveau... C'est dégueulasse!

— C'est pas une heure pour chercher sa femme sur les routes! rappela chevaleresquement un rat... avec un séraphique sourire de prince noir. Monsieur Perrault! vous racontez des histoires!»

114. CAFÉ DES SPORTS

Au Café des sports, l'ambiance s'assouplissait comme de la flanalette. Monsieur Jacques jouait à la guerre dans son Côtes-du-Rhône, comme d'habitude, pendant que les joyeux copains se ponçaient au Sauvignon. Le patron, monsieur Jean, y allait de son éternel numéro, sous l'étroite surveillance de gente dame Georgette, la patronne.

«J'ai vu des enfants tués par les Boches! répéta monsieur Jacques, pour la quarantième fois, les yeux dans l'eau.

— Arrête ton cirque, Jacques, c'est fini la guerre! Ces messieurs-là ne l'ont pas connue... trancha la patronne.

— Mais moi, j'ai tué, madame... J'ai vu des avions tomber par dizaines. J'ai sauvé trois Allemands de la fusillade, à cause des représailles, car ils auraient pu liquider quinze Français. J'ai été espion...

— Arrête, Jacques! N'embête pas les gens! Tu n'as jamais tué personne, caporal-à-la-noix... Tu n'as jamais été espion non plus!!!

— J'avais quarante hommes sous mes ordres... Un jour, on arrête trois gars en uniformes américains... avec la jeep et tout. Ça semblait suspect. Nous les fouillons et le pot aux roses se dévoile de lui-même. Les alliés français, américains, canadiens portaient tous un maillot blanc sous leur chemise, et les Allemands un gris... Tu sais, you know, les Nazis avaient formé des groupes qui parlaient américain et tout...

— Arrête, Jacques, c'était pas eux les plus dangereux! Les Allemands, c'était des gens comme nous, à qui on avait ordonné de se battre... Même que mon père doit la vie à des femmes allemandes qui lançaient des pommes de terre aux prisonniers, par-dessus les barrières des camps... Et ça, au risque de leur vie! Car si on les avait aperçues, on les aurait fusillées sur-le-champ (de patates). Sans elles, beaucoup de Français seraient morts de faim! Les plus dangereux, c'était pas les Allemands! C'était ces traîtres de la milice française, payés par les Allemands pour dénoncer les résistants...

— Remettez-nous donc une tournée, madame Georgette!

— Ça fait quinze francs, Jacques... Plus un paquet de Gauloises!

— Oublions donc la guerre! À la santé des vivants!

— À la prochaine guerre, je m'engage, déclara monsieur Jacques.

— Arrête tes conneries, caporal poivrot! Il n'y aura pas d'hommes pour se battre, ça se jouera sur des boutons!

— Ils ne feront pas sauter la planète quand même!!!»

Le patron agrippa Henri par le bras et lui foutut sous les yeux une volée de photos souvenirs et de découpures de journaux. Yanek Walczak gagnait, gagnait et regagnait à nouveau ses trois championnats du monde encadrés, en levant le coude. Marcel Cerdan souriait triomphalement sur une photo et gisait mort sur une autre, face au visage éploré de Piaf. «Deux autres Sauvignon! Une crème de menthe pour Saint-Hubert, qui n'en boit pas tellement, mais en renverse beaucoup... et une tite Côte pour monsieur Jacques! Ça c'est du sport!!!»

Un ring autour des oreilles, les poings armés de verres pleins boxaient le temps jusqu'au dernier round pour le mettre hors contexte, en chantant: «It's a long way to Tipporary»... «Ils se fréquentent entre eux!» aurait dit Phiphil...

114 bis. AUCUN RAPPORT

Le 12 novembre, alors que plus je progressais, plus mon esprit se mourait dans la torpeur de mes entrailles... c'est avec un état de grâce farouche que je reçus cette missive de l'Inspecteur Épingle...

Montréal, le 12 novembre 1985

Mon cher Séville,

C'est après avoir reçu une communication téléphonique, mon cher René, de vous savez qui? que je prends mon Capitaine No pour vous écrire. Il est présentement, mon cher Gustave, 7h25, pour ne pas dire 19h26. J'écoute les aventures de Gérard Lambert, le frère d'une de vos amies que je crois vous être très intime. Maintenant, cher Jean-Marc, je dis comme vous, qu'il a un peu de vous. Je crois comme vous, cher Philippe, qu'il a été fortement influencé par un auteur compositeur d'ici qui, je crois, enseigne la littérature dans un établissement d'éducation supérieure de la rue Sherbrooke. J'aimerais profiter de l'occasion que j'ai de vous écrire, mon cher Picard, pour vous donner des nouvelles du Canada. La première, sinon la plus importante, est ce spectacle donné par un jeune auteur compositeur du pays, qui raconte très souvent ses aventures avec un autre auteur compositeur, lui aussi du pays, mais qui, heureusement, a disparu soudainement. Ce concert spectacle, mon cher François, a eu lieu dans un bar situé dans un quartier populaire de notre belle ville qu'est Montréal. Quartier populaire, dis-je, sillonné par une rue non moins populaire que l'on nomme ici, cher Arthur, rue Prince-Michel. Ce bar, donc, porte le nom d'un habitant de l'arrière pays: Percival-la-Grosse-Guitare. Je dois avouer, mon cher Armand, que c'est la seule grosse guitare que je connaisse dans tout le pays. Une autre nouvelle, qui, je crois, pourrait vous intéresser, Roger, si vous ne le savez pas d'une autre source, car je sais qu'elles sont nombreuses, c'est que, voyez-vous, un de vos amis, médecin de formation, propriétaire d'un terrain d'amusement à l'occasion, s'est débarrassé de ses biens et a amorcé un retour à Montréal, abandonnant à la communauté fluviale la jouissance d'opérer, à profit j'espère, ce site enchanteur qu'il avait créé de ses mains, le long du fjord Saint-Laurent. J'aimerais vous dire aussi qu'un nouvel endroit a ouvert ses portes à Montréal, endroit qui retient particulièrement mon attention, puisque j'y ai droit à une bière par semaine, à vie. Cet endroit, cher Léon, est situé dans un local connu de vous et moi, au premier étage d'une très vieille «tavern» fréquentée par des gens de petites mœurs. J'aimerais ajouter, puisque j'y pense, mon cher Caméléon, qu'un poète inconnu, indien probablement, venu de nulle part, qui se fait appelé Ursus, a mis au monde un nouveau groupe de musique endiablée. Ce groupe portera le nom d'un rapace noir et qui crie comme ceci: QUOI? QUOI? QUOI? QUOI? C'est le type de volatile que l'on retrouve souvent perché sur un piquet de clôture. Je termine en mentionnant que notre domaine fictif, notre éden imaginaire, est prêt pour l'hiver et qu'il est possible, mon cher Jésus, que j'y passasse la grande fête de la nativité de Rémi.

Je lève ici mon Capitaine No et vous dis à bientôt.

Amitié,
Inspecteur F.D. Épingle, préposé
aux enquêtes gutturales profondes

PRÉLUDE AU 115. L'HOMME AU SAC BRUN

On passe notre temps à chercher ce qui nous manque, sans vraiment savoir jamais ce que c'est... Sa mort peut-être? Mais il nous en manque toujours... «Haschch!!! Haschhh!»

Le gars marche dans la rue, au cœur même de la foule, en serrant fébrilement son sac brun entre ses doigts tremblants crispés. Ce sac est la seule marque qui nous permet de l'identifier dans ce monde de non-croyants. Voici l'homme à l'infini regard. Suivons-le! Il avance gauchement à travers les dédales de son siècle, dans l'incertitude certaine de ses pas. Il lévite au-dessus des ordures terrestres, emprisonné par le halo auréolant le précieux contenu de son sac. Il entre au refuge Marcil, prend place à une table, à droite en sortant, et dépose son sac sur la chaise devant lui.

«Qu'as-tu? Qu'as-tu dans ton sac brun? demande la fillette au vieux wolf.

— Tu veux savoir ce que le monsieur a dans son beau sac, brave enfant?

— Ui! Ui! Ui!» La fillette s'approche davantage. Le vieux wolf ouvre son grand manteau plein de pisse.

«Viens! le monsieur va te montrer quelque chose. Tu vois cette belle forme luisante, ici? Regarde! C'est dur... et ça possède un petit chapeau.

— Et si on enlève le petit chapeau? Ça fait quoi, monsieur???

— Si on joue avec le petit chapeau, ça fait sortir des p'tits bonshommes!

— Des p'tits bonshommes?

— Des p'tits bonshommes, des p'tites bonnes femmes, des p'tits rêves qui chatouillent et des p'tites bulles qui picossent les lèvres...»

L'hôtel s'envola. Une montée d'air chaud. Une calèche passa dans les airs. Un chaudron de gruau tiède coula à l'intérieur d'une tête tandis qu'un petit garçon, en habit de cow-boy, se faisait dire par sa mère qu'il était bien le fils de son père. Un coucher de soleil sur le Chenal-du-Moine écarquilla ses yeux entre les joncs vaseux, une mouette cria. Un jeune adolescent grand et gauche essayait de danser un slow tout seul devant son miroir, pour se pratiquer. Une langue s'assoiffait de rencontrer un sirop musical... Frémissant, tremblotant sur le bout des pieds, depuis longtemps, trop fragile à cet endroit, le vieux wolf n'y tint plus. «Ça s'appelle: une belle bière!» lâcha-t-il.

115. HISTOIRE NORMALE DE CENTRIFUGEUR À CAROTTES

L'œil de verre dans le judas, la bonne femme buvait, en cachette, dans la bouteille du bonhomme, lequel s'en doutait et faisait des marques au crayon sur ladite bouteille pour en localiser le niveau... Mais la vieille s'en foutait bien, car elle rajoutait, chaque fois, un peu d'eau pour remplacer son bu. À un moment donné, évidemment, le vieux trouvait sa gnôle un peu moins forte et s'en plaignait à la vieille, qui lui disait qu'il buvait trop...

«En Normandie, aurait dit Phiphil... les gens qui ont une situation socialo-politicale aisée ont la peau plus claire. Et les autres, la peau plus sombre...» Mais avec Phiphil, les conversations pouvaient commencer en Australie, elles se terminaient inévitablement toujours en Normandie, ou dans un livre d'Histoire. «Je me souviens, en 1808, Alphonse de Bellerive portait des chaussettes brunes foncées, pour signifier son...» ... De la même façon, avec Henri, on finissait toujours par parler de Proust. Une région est une religion: on y revient tout le temps... «Donne-moi un p'tit coup!... mais dis-le pas à la bourgeoise!»

Pendant ce temps, Saint-Jean-le-Philantrope énonçait expressément ses vues sur la décennie actuelle: «Ce n'est plus eux qui donnent la forme au siège de leurs fauteuils... c'est le siège qui leur donne sa forme! On parle de siècle de communication, on devrait plutôt dire: de décommunication, tellement les gens ne se parlent plus! La technique isole chacun par en dedans... avec sa vidéo, son yoga électronique, etc.»

«C'est toujours une seule lune qui suscite le flux! Le reflux peut bien se faire, la lune reste là, cachée quelque part jusqu'à la prochaine plénitude.» Ainsi parlait Ursus l'Indien. *Profession*: vagabond professionnel de lointaine vocation, tendance farouche à la prudence face à la débilitante facilité des grands voyages organisés. Une barque étanche vaut mieux que deux titanics percés.

«Amenez-moi quelque chose de simple et profond... mais qui reste et résiste aux modes. Patron! un verre pour moi, un verre pour le froid et un autre pour l'accent!» Jésus prit son pain, le rompit et le donna à ses apôtres en disant: «Mangez câlice! Moé, j'boé! Viârge!» L'expérience scientifique du couple, c'est ça!

Django s'ébrouait au Nazet, en ballade swing, incognito... il se tiraillait la note (en jouant toujours plus fort) avec un violoniste, qui n'était pas tout à fait Grapelli. Quelques années encore!!! Armstrong-la-bouche-molle, prénommé Gros-Louis, intervint seul avec sa voix, sans tambour ni trompette, et provoqua un égosillement d'applaudissements. Le rideau s'abaissa et la Normandie s'en retourna dans sa chambre à graffiti... «En toués cas, à Haïti... la chaleur était ben belle!»

116. NOVEMBRE... PREMIÈRE NEIGE

Paris-novembre, névralgie dans la moelle, un coup de couteau dans l'os. Froid de canard sur la colorful petite rue Saint-Jacques. Rue du Temps retrouvé, à travers ses bistros, ses librairies, ses épiceries, ses restaurants chinois, ses fromageries. Odéon-Accordéon, le balayeur bleu du métro, en noir de travail, ramassait les joyeux mégots gris. «C'est parce que les hommes cultivent ces saloperies!» ramassa l'écho. L'homme des neiges descendit la côte... Houbisko! Le Yéti de la première neige parisienne du 21 novembre, Beaujolais nouveau 85, s'effectua... «Si j'arrête de boire, je meurs! J'arrive tout nu comme si je venais de naître et je ponds!» Il se roula une boule de neige avec ce qui restait. «La rue est déserte. Un peu de neige sur les voitures et y a plus personne.»

Tel un embryon baignant dans son jus fœtal, un livre ruait dans le ventre du quotidien. Un livre rempli de gouttes, une grossesse pleine de doutes... Quelques pertes. Quelques coups de pieds dans la matrice motrice... On entendait des voix s'inquiéter du contenant. D'autres, du contenu. Était-il mort-né? Valait-il la peine qu'il se donne à vouloir voir le jour? Tous ces maux qui se suivaient, les uns à la suite des autres, avaient-ils nécessairement besoin d'un fil conducteur? d'un cordon ombilical? N'était-ce pas là du travail pour rien, une aventure sourde-muette et aveugle, une formule handicapée? Fallait-il l'aimer quand même, lui accorder plus d'attention? Subirait-il l'amour ou la haine des hommes? Ferait-il son chemin, malgré tout?

117. CHAUFFAGE CENTRAL

L'ambiance était à son plus bla-bla, à l'hôtel Central. Tel Samson entre les colonnes du temple, un Hank Williams à la voix suraiguë poussait son cri dans le microphone. La bière coulait à flot, dans un nuage de cigarette à vous faire laver vos souliers, le lendemain... Ça chauffait, sans incendie. Tout le monde était, à tout décrire, très calme... avec la neurasthénie des grands espaces resserrés dans un même point, pour se renforcer. «You're gonna chaaange or I'm gonna leave...» roucoulait le grand Hank, dont le poil sous les aisselles vibrait d'émotion. C'était la plainte lointaine du lundi soir. L'ère glacière avait fondu depuis longtemps, malgré l'hiver.

Il était bien minuit lorsque, de sa démarche sûre et certaine, l'inspecteur Épingle fit irruption dans les lieux. Il se fraya un chemin entre les lignes de cocaïne et, en bon ignorant de ces pratiques, pensa qu'on procédait là à un déneigement intérieur de toute urgence. D'un salut à gauche et d'une relation publique à droite, il se retrouva ainsi à genoux devant le grand Hank, à l'implorer de chanter «Hey Good Lookin'». Monsieur Racette, par un pur effet du hasard, se trouvait également dans l'établissement, qu'il visitait d'ailleurs pour la première fois, en compagnie de sa fiancée de treize ans et demi. Il s'était tout simplement trompé d'endroit et se pensait aux «topless»... L'inspecteur Épingle, dont on connaît le paternalisme zélé quand il s'agit de mener à bien une enquête, remarqua aussitôt la célèbre main courante de monsieur Racette qui semblait attirer son regard vers de fertiles régions. Il suivit cette main, palpant et grimpant le long de son imagination, à la recherche d'une histoire suivie... «Ici, tu peux aller au Moyen-Âge si tu veux!»

«Madame Julienne n'est pas morte! Si son bistro est fermé c'est parce qu'elle s'est cassé le bras. Elle est en réadaptation musculaire pour pouvoir mettre la clef dans la serrure, mettre du beurre sur les tartines et «twister» la machine à café. Autant de petits gestes dont on ignore l'importance jusqu'à ce que le système se dérègle!»

Toute l'âme de l'âme se frôlait là, au même instant, à ce coin de bar... aux confins de l'Amérique tumultueuse linéaire, de l'Afrique chaude en couleur, de l'Orient gustatif et de l'Europe digestive. «Il m'a emmenée chez lui, m'a fait fumer, m'a forcée à boire, m'a fait rire et m'a dit: marché conclu! Puis m'a embrassée sur les lèvres en disant: «téléphone-moi demain! j'aime bien ta compagnie...»

L'aveugle marchait en écrivant son trajet sur les murs et en se parlant à eux, par résonnances, comme une chauve-souris... Une approche se fit. La conscience, poupée miniature, prenait plaisir à flotter dans l'espace d'elle-même.

«Elle chante-tonne! vous dis-je, cette petite.»

118. GAZOUILLIS

Les enfants jouaient au bateau à voile sur le bassin gelé et les joggers joggaient. Les amoureux regardaient vers rien de rien. Le Luxembourg trépignait de follets frissons, lui pourtant si torride en juillet d'avant. Les cerfs de bronze en étaient tout verts de ciel gris. Le Hongrois termina sa partie de tennis, prit une petite sniff d'air en poudre et flya le long de l'allée... Une fille passa, armée d'un carrosse, fière de sa procréation en boîte.

Sportive, haletante, elle mit une tache de rose dans tout ce gris, brun et vert. Le Hongrois traversa un tapis de pigeons mobiles et tomba nez à nez avec un flic. Il obliqua de l'autre côté de la rue, la tête entre les épaules à cause du froid et entra à la brasserie. Main verte sur un verre de rouge, un dragon buvait son feu en silence, conscient de son exil permanent. «À partir de la quatrième génération, de toute façon, t'as pas de chez toi!» confessa une Algérienne à lunettes...

Un malheureux Jésus, échappé trop tôt de sa crèche, essayait délibérément de boire le contenu de son calice. Penché sur le comptoir, sous le poids de son invisible fardeau, il cherchait quelque chose dans la fente de sa plaie. Sa tête tomba et balança vers la droite, à la hauteur du comptoir à tartes. Il ferma les yeux. Ne voyait-il pas que son calice était toujours plein et qu'il n'y avait pas encore touché? Il tira une cigarette, qu'il alluma à la flamme de son sacré cœur, et se remit à fixer le vide devant lui... Il se secoua en direction des toilettes et s'y crucifia un moment, en remontant ses culottes. Ses sourcils, tels des saules pleureurs, débordaient en broussailles par-dessus ses lunettes. Sa joue, depuis longtemps résignée à recevoir toutes les claques du monde, laissait par endroits entrevoir des rides de lassitude. Il embrassa fatalement sa croix, comme un vampire suicidaire, et se cloua le coin du comptoir en plein thorax, en tombant de fatigue. Le coq chanta... Judas avait déjà suspendu tout le genre humain.

L'équilibre commençait à lui manquer joyeusement. Il découronna son épine dorsale et s'épongea doucement le front, en tirant une bouffée. Il se gratta la tête et la replaça au même endroit, en grommelant des psaumes et en toussant (à cause des clous). Il cracha par terre en se frottant l'œil droit avec la main gauche et faillit dégringoler en bas du comptoir. Il se retint à son dernier clou, en réajustant ses côtes... «Ça fait mal, là?» demanda Marie-Madeleine. «Est-ce que t'as soif?» demanda une bidasse en ceinturon. La situation tournait au vinaigre. Jésus soupira, termina son verre et sortit dans la nuit légionnaire. «Dix-huit francs quinze sur vingt!» lança le garçon, en lavant son couteau. Jésus marcha prudemment sur les eaux et tomba inévitablement dans le vin, comme il l'avait fait aux noces de son amie Cana, quelques siècles auparavant... À quatre pattes dans les miracles. Il avait, ce soir là, tant multiplié de verres qu'il en promenait les petits enfants à cheval sur son dos.

Un parachute plein de pigeons s'était déjà abattu sur le crâne de Yanek Walczak lorsqu'un Nègre se péta la noix sur la porte vitrée de l'Atrium, puis l'embrassa avec compassion, en sortant... Être accepté! voilà toute l'histoire... «Excusez-moi, madame la porte! C'était ma faute... Je vous aime!» «Tous des enculés! criait le parachutiste mal tombé. Ras l'bol! Foutez-moi tous ces bougnoules à la porte! Tous des enculés!» Le poète fou marchait à quelques pieds de là... Une vendeuse de fleurs offrit sa marchandise, patineuse comme une abeille en hiver. Madame s'était fait bronzer dans un toaster, de là les lignes verticales sur ses hautes joues... Une mâchée de gomme-à-foulard fit son entrée, mâle deviné devinant plutôt saugrenu. Il prit un œuf dur mayonnaise et se l'engloutit comme un suppositoire entre les glandes.

Ubald termina son pichet de rouge et s'inclina vers la sortie. «Je m'empresse, chaque soir, de gagner du temps sur ce départ qui m'offusque!» «Vous viendrez nous revoir quand même, avant votre départ... même si ce n'est pas pour dîner», rajouta la patronne avec sa gentillesse coutumière. L'arpenteur fou de la rue Antoine-Dubois avait levé le camp... Pépère Lampron fit pipi dans un racoin de la rue Monsieur-le-Prince, dos à un couple d'amoureux chiliens qui franchirent le fleuve d'urine en toute quiétude, tout abreuvés qu'ils étaient par leurs propres paroles.

«Elles se suicident parce qu'elles ne jouissent plus, expliqua Lola-la-Travelo, à propos des transsexuelles... J'ai quarante-trois ballets, je suis moins belle mais j'ai encore quelque chose entre les jambes...»

«Les bombes perdues, c'est la guerre par accident! C'est dégueulasse!» précisa une vieille perruche à perruque. Ils se regardèrent comme deux amants d'un soir, gênés par la peur d'avoir à se déchirer le cœur une autre fois.

Le poète fou au chien de brume rejouait toujours son éternelle scène rue Antoine-Dubois. Les trottoirs sont parfois les parloirs du ciel ou de l'enfer. On était presque mercredi, mais quand même encore un peu mardi... Jésus cognait des clous en faisant une baboune contrariée, une gueule boudeuse de fils unique. Marie, mûre comme un fruit de mai 68 recyclé, sortit sa carte bleue VISA et paya pour lui...

118 1/2. QUITTANCE ACQUISE

La soirée prit vite des allures de petite fille à mesure que passait le Temps, mais, au matin venu, elle remit son masque de jour devant l'inévitable café.

Le fou d'Antoine-Dubois chantonnait une douce complainte, les mains dans les poches, en transportant ses notes et ses manuscrits. «Ça vous intéresse la poésie? demanda-t-il à Henri. Je vous ai vu écrire... J'essaie de vendre mes écrits depuis un an et demi.

— Et ça marche?» Henri faisait allusion aux cents

pas, évidemment...

«Plus ou moins... c'est partout pareil!»

On sortait à peine, si peu, de la préhistoire!!! Le Temps s'arrêta un moment au Moyen-Âge pour faire brûler du bois dans l'âtre et se chambrer un peu...

À grands toussotements, la boucane se glissa à l'intérieur par les craquelures de la cheminée. Le rire était bon et le jambon aussi. Le froid du dehors aspira la chaleur et la fumée cessa de gêner, laissant la place à de chauds crépitements de guitare espagnole.

«Je ne l'ai pas ramonée. Je me suis dit qu'elle était bonne! déclara le père Noël en empruntant la haute cheminée du Moyen-Âge. Tu dissimules mieux en banlieue... quand tu te retrouves parmi eux, dans leur crèche. Ils sont un peu fêlés, mais ils sont accueillants!

— On sait bien, chez vous en Amérique, les toilettes sont tellement propres... On dirait des trombones!!! fit affablement remarquer Ti-Rat.

— Combien je te dois? lui demanda Jésus...

— C'est tout payé! claqua Ti-Rat, la face laide... Et il le sait. Ça fait dix ans qu'il vient là et on n'a pas vu la couleur de ses sous. Un Juif, errant ou non, c'est comme ça!»

— Tu devrais essayer de faire n'importe quel travail, Jésus! sous-entendit un ange foncé. Même mal payé, parce qu'après, t'auras la sécurité sociale. Faut p't'être oublier le passé!»

Chaque jour, chaque nuit, Henri avait un pied de plus dans les airs, moment déchirant où il se dépouillerait partiellement de l'amitié de Babache, de Rébillard, d'Ubald, de Jésus et des autres... «Je me sens maintenant libéré de ma rage d'écrire», constata-t-il... «C'est ça ou l'usine!» répondirent les autres, en levant leurs verres et en basculant dans le vide.

De cette maison hantée, il ne resterait bientôt que les couloirs à rats du métro. Une monumentale pleine lune tenta de se cacher derrière la tour à Gustave Eiffel. Heureusement Gustave avait plus d'un trou dans son mur... Il fit réapparaître la lune dans les lunettes de Saint-Guy, qui en demeura la monture toute dansante. Allait-il bientôt être en mesure d'exécuter la danse qui le rendit célèbre??? «C'est pas de la musique de boîte, ça? demanda quelqu'un à Saint-Guy, en le voyant sautiller allégrement sur sa monture.

— C'est de la musique de boîte crânienne!

— Tu as des traits de génie, ce soir!

— J'aurai des traits étirés demain matin.

— Je déteste l'amour! postillonna une exaltée.

— Elle crache bien!» fit remarquer Saint-Daniel, qui parlait simplement de la musique.

119. COMMENT TI-RAT FOMENTA UNE MUTINERIE ET COMMENT IL FUT RADIÉ PAR HENRI

C'était un peu le dernier rush des personnages avant la séparation et ceux-ci le sentaient. Certains, comme Ti-Rat, semblaient ne pas apprécier se faire larguer. Évidemment, il tenta d'en imputer la faute à Jésus, prétendant qu'il prenait trop de place. Ti-Rat, dont le rôle d'avocat du diable semblait s'amplifier outre mesure, tenta un rassemblement des personnages, à l'insu d'Henri. Il disait, à qui voulait bien l'entendre, ne pas priser du tout que la situation régresse à ce point. «À toute cette histoire, il manque le lien principal! sifflait-il entre ses dents, celui-là même que nous cherchons tous, quand nous nous débattons, dans nos petits néants...»

Ubald, qui buvait en solitaire dans son coin, non loin d'Ursus l'Indien, de Poulet-Chasseur et des autres, sentait aussi monter en lui cette impression de délaissement. Protégé cependant par son côté «lonesome rocker», il n'en éprouvait aucune amertume. Pour lui, toute cette histoire était à l'image d'une vie... avec une arrivée, quelques verres pour la route en diverse compagnie, et puis soudainement: départ. Il n'y avait pas là de quoi crucifier une sauterelle! Pour ce qui était d'Henri, Ubald qui ne l'avait pas vu depuis un moment, se demandait si celui-ci ne désirait pas inconsciemment, du même coup, casser un peu avec lui-même, se désintégrer complètement et clôturer ainsi une partie de son passé en érigeant une croix dessus, une espèce de borne à l'absurdité des agissements des personnages qu'il s'était créés.

La réaction de certains de ces personnages fut étonnamment primaire. En évoquant le fait d'avoir été utilisés sans être payés puis abandonnés, certains figurants de seconde importance, sous l'influence néfaste de Ti-Rat, tentèrent alors de déjouer le temps, en forçant l'imagination d'Henri à les réutiliser, à les récupérer et à les réintégrer dans sa sphère... Chacun, tirant sur la couverture, suggérait dans l'esprit d'Henri les contes les plus insensés, sous prétexte, justement, de donner à toute l'affaire ce qui lui manquait le plus, c'est-à-dire du sens.

Ti-Rat amena dans le décor une grosse fille de sa connaissance qui portait le prénom charmant de Ruth. Ruth avait déjà à son actif une onzaine d'enfants... Ce qui ne manquerait pas de meubler le scénario, avisa Ti-Rat. Comme elle ne savait pas comment et pourquoi ses enfants étaient venus au monde, personne ne risquait quoi que ce soit. Ti-Rat préconisait-il une revanche des berceaux au sein même de l'histoire? Toujours est-il que la gracieuse Ruth fit fureur auprès des membres de la distribution qui se mirent à imaginer, avec elle, les scènes les plus farfelues. Ruth et Ursus procréèrent ainsi un nouveau personnage, le temps de le dire... ce qui fit un Indien de plus dans la réserve. Poulet-Chasseur, pour sa part, se rangea du côté d'Ubald et décida de s'éclipser sans histoire. Babache fit de même. Il quittait lui aussi cette vie de fou. Ti-Rat tenta bien d'organiser une partouze, mais le noyau n'y était pas. Le seul à maintenir l'idéologie flyée semblait être, au bout de la ligne, Jésus lui-même. Il l'emporta haut-la-main sur Henri qui préconisait, de plus en plus, la dépossession et le dépouillement, non pas de Ruth mais de toute l'affaire... Il semblait, en tout cas, avoir hâte d'en finir. Ti-Rat, qui avait précédemment tenté d'attenter en public à la réputation de Jésus, dut abdiquer face à la décision d'Henri. Mais au fond, il se sentait en mesure de revenir le tourmenter à un moment plus opportun. La solitude d'Henri s'en trouverait peut-être troublée, au dernier moment?

Les animaux les plus saugrenus, sans doute sous la tutelle de Ti-Rat, se mirent à sillonner les bouts de phrases. Un porc d'apparence épique entra en trombe dans le rigodon, suivi de perroquets boiteux, de lemmings au sang mêlé, de couleuvres croisées avec des furets, de canards aux pattes de crabes dansant de côté, etc. Tous s'installèrent, le plus naturellement du monde, dans l'écran d'Henri, comme s'il s'agissait d'un bureau d'emploi pour figures de bandes dessinées. «Ne me dites pas bonjour! leur cria Henri. Mon nom n'est pas Lafontaine et je ne possède pas de parc pour vous garder... Allez ouste! Dehors! Je n'ai pas de place pour vous. Ce n'est pas l'île du docteur Moreau, ici! Allez voir Perrault! C'est lui qui s'occupe des contes pour enfants. Moi, je ne règle que les derniers contes, les contes en souffrance, pour adultes consumés seulement... Ôtez-vous de devant mon écran! Allez!» Henri arracha le fil et s'endormit. Un vieux corbeau se percha sur son rêve, en attendant qu'un renard passe.

120. COMME UN FROMAGE EN CRÈME... (à propos de Maurice)

Maurice Lampron entra mollement à la Brasserie des Joyeux Miracles en cherchant sa femme Kankon. La bougresse était encore partie boire sa mort dans un trou quelconque en laissant son époux seul à la maison avec ses gosses et une bouteille de comprimés pour les nerfs. Maurice ne pouvait plus endurer ça! Chaque jour, il creusait aussi un peu sa tombe. La proximité de son ombre l'étouffait, son nez, collé au centre même de la tarte, ne permettait plus à ses yeux d'en voir le bout. Il prit quelques pilules pour se calmer et s'installa devant l'écran béant de la Brasserie (l'écran dans lequel tout pouvait se passer), en demandant quatre belles bières neuves au waiter. Soudain — effet des stupéfiants mêlés à l'alcool? — il crut y apercevoir sa femme qui battait des mains à contre-mesure, alors qu'un chanteur français, beau beau beau et tout de cuir serré vêtu, interprétait une chanson d'amour mignonne et plate devant un public des plus heureux. Maurice se leva debout en criant: «L'avez-vous vue, la tabarnak? C'est ben elle! Se faire chanter la pomme par un câlice d'importé... comme si on avait les moyens de perdre notre temps à des niaiseries pareilles. Christ de viârge!!!»

Les joueurs de pool firent une légère pause. Toutes les nuques assemblées se raidirent devant ce spectacle si peu banal. Maurice, décontenancé et hors de lui, maugréait des insanités répétitives qui n'arrangeaient rien à l'hiver et qui même devenaient lassantes au bout de trois quarts d'heure. «Dire que j'ai fait cinq ans d'prison pour ça! Si j'm'étais pas fait pincer... j'aurais sept cent mille piasses aujourd'hui, hein Henri? J's'rais ben! J's'rais jeune! J's'rais garçon... Pas vrai, hein, Henri? Pis j's'rais pas icitte, en tout cas! J'écout'rais p't'être chanter une Française, moé'si, Jésus d'hostie!»

Jésus, qui entendit son nom ainsi proclamé dans la bouche de Maurice, en eut pitié. Il acquiesça à son désir et l'expédia tel quel, comme un ti-moineau, directement à Paris, sans autre forme de préambule. «T'iras faire un tour à France-Inter, si t'as l'temps!»

En bon responsable culturel, Jésus y délégua, par la même miraculeuse occasion, une certaine dame Blanche Bidard, afin d'avoir un œil ouvert sur la situation.

«À travers cet œil, j'vois tout Paris! soutenait Jésus.

— Faites donc un ti-clin d'œil à mon mari! demanda une certaine dame Lampron.

— Votre mari, madame, flotte maintenant sous forme de songe. Il voyage dans sa pensée mais son corps mou ne le suit plus. Il coule derrière lui. Votre époux Maurice est liquidé, madame, évaporé dans son sang bouillant d'amour pour vous, victime de son innocence originelle. Son âme est tombée dans une embuscade. Je la vois, madame Lampron! comme vous pouvez l'imaginer vous-même... Elle cherche le bout qui lui manque, à deux mains dans la boue. Elle tente désespérément de se façonner une identité. Elle n'y parvient pas, madame! Ohhh! le désarroi de cette âme... Ahhh! son tourment... Elle tourne sur elle-même. Elle patauge... De quelle nationalité est l'âme? De quelle couleur? L'âme de votre mari est universelle, ma chère Kankon! Priez! Priez! Priez! afin que toutes ces huiles se résorbent et que cessent de couler les larmes de sang...

— Ahhh! doux Jésus, continuez... C'est bon!

— Votre mari, Maurice, est fluidifié, madame. Il erre dans la communion des Saints, béatifié à son insu... Votre époux, ô dame Lampron, se volatilise très rapidement, voyez-vous? Son caractère doux et éthéré le porterait plutôt à partir en fumée, comme saint Gabriel Lalemant, par exemple. Son attitude, comme celle de saint Gabriel d'ailleurs, me semble tout à fait digne de mention. Votre mari est un saint, madame! Votre prière m'a ému. Nous pourrions dès lors l'appeler saint Maurice, mais comme il est un ange en mission, nous continuerons, si vous le voulez bien, à le nommer Maurice, tout simplement. Actuellement, il vient en aide à de pauvres exilés qui subissent le supplice dit de la bagnole. Vous savez, c'est un genre de torture qu'on pratique encore dans les vieux pays et qui consiste à punir les gens en les coinçant dans des cages à quatre roues. On peut les laisser comme ça pendant des heures, vous savez? De temps en temps, on les laisse avancer un peu puis on arrête à nouveau... Vous savez comment sont les nerfs de votre mari, n'est-ce pas? Vous savez donc à quel point son apport moral peut être important et utile? De par sa dématérialisation partielle, votre mari se présente maintenant sous différents formats. Il pénètre l'esprit des autres et fait en sorte que celui-ci se surélève jusqu'à moi, vous saisissez? Enfin! ça dépend des jours... La mémoire de votre époux est défaillante. Maurice est facilement transportable de nature. Il est facilement camouflable. Il n'est pas raciste. Il n'a pas de sexe. Petit, noir, brun, blond? Peu importe! Il est l'invisibilité fumante, innocent comme un agneau sans tache offert en sacrifice. Et moi, madame, Maurice me fait bien rire... Je l'aime bien! Je le reçois bien! Mais il doit s'organiser lui-même avec ses fréquentations. Je ne veux pas de problèmes avec la police française! Qu'il demeure discret! S'il doit se cacher, qu'il se cache! Personne ne le force à s'exhiber! Je sais... Je sais... il est influençable. On dit même qu'il inspire à la délinquance. Il ne faut pas croire tout cela, madame! enfin, ne pas tout prendre au pied de la lettre. On dit parfois les mêmes choses de moi... Ces Français me tiennent même responsable de leurs guerres saintes et de leurs croisades... Pas étonnant que, devant Maurice, on parle de fumet de sorcière! C'est une vieille coutume du Moyen-Âge pour faire parler le monde! C'est Gabriel Lalemant qui a montré le truc aux Indiens et ils lui ont aussitôt arraché la langue pour ne plus qu'il le répète. C'est comme ça qu'il s'est fait brûler le calumet, ma chère Kankon...»

121. LA 8e RÉINCARNATION DE BLANCHE BIDARD

Maurice haletait au bout de la ligne. Le nez sur le zinc, aux abords de la sainte paix qui pue... «C'est la mi-temps qui pivote!» parachuta-t-il.

Quand Maurice était avec nous, tout se passait généralement d'une façon assez ramollo. L'évasion moelleuse qu'offrait sa compagnie, bénissait toujours, d'un commun engourdissement, les membres du groupe auquel il adhérait. Maurice n'était pas essentiel, il était le ciel. Ciel survolé sur un tapis de rouge. Ciel peuplé de nuages à qui l'on chante: LES VOILÀ! LES VOILÀ!

Maurice était le copain par excellence, celui qu'on remet dans sa poche quand on a fini de l'utiliser... mais qui revient tout à fait normalement au centre de n'importe quelle situation ou conversation. Maurice donnait parfois aussi beaucoup de culot aux tournures de phrases et il faisait faire plein de folies aux gens qui le côtoyaient. Il pouvait, par ailleurs, les intérioriser à outrance, les isoler au creux d'eux-mêmes en les enveloppant paranoïaquement d'un mutisme gaga. S'infiltrait-il par exemple, dans un restaurant chinois où la longue face du patron était aussi désagréable que d'habitude? ... que c'en était assez pour qu'il s'allume effrontément dans son coin, comme pour renvoyer l'ascenceur, d'une certaine façon. L'occasion fait le larron, c'est bien connu, et quelquefois la situation prête tellement bien à quelque boutade. «J'espère qu'ils se paient autant notre gueule qu'on se paie la leur!» soufflait-il, en payant la note.

Une poule pondeuse, fort pourvue de sa personne, s'approcha du comptoir et déclara, en parlant de ses œufs: «Moi, j'les ponds parce que t'aimes la façon dont j'les ponds et tu les vends parce que j'aime la façon dont tu les vends!» C'était le huitième retour de Blanche Bidard, sous une forme étrangère. Inspirée par la présence de Maurice, l'as des agents transformateurs, elle s'approcha sur un nuage d'élucubrations, considéra le gros caissier et lui dit: «Chez les caissiers de bar-tabac, il y a les morts nerveux, habituellement les patrons, et les morts nonos comme toi!» Le gros goglu de la caisse n'entendit pas son propos et vida sa bière d'un trait, sans que son patron ne l'aperçoive. Son gros ventre d'ancienne bidasse, plein de conneries de jeunesse, le coinçait de plus en plus derrière le comptoir... et chaque soir, il le remplissait de bière bue à la sauvette, en dissimulant son verre sur le zinc, parmi ceux des clients. Il passait le plus clair de sa mort à faire semblant d'être là, puisqu'il ne naissait plus depuis belle lurette. Il s'était coulé, noyé d'ennui et de cervoise en cachette. «There's no event except the one you can invent!» souffla Maurice en anglais, dans le fond de sa réflexion, pour ne pas que le gros soit troublé dans son immobilisme. «Pauvre con!» Il flya ailleurs. Emporté par un coup de vin.

Blanche Bidard réapparut sous les traits d'une oie sauvage, cette fois-ci, et demanda: «Que cherches-tu en ce saint lieu sinon la malédiction suprême? Que surveilles-tu?

— Je, me, moi, à travers les autres!» répondit Ubald, aiguillonné dans ses propos par Maurice, planté évasivement comme un crucifix dans le décor. «Il ne faut pas fondre, il faut pondre!»

Blanche Bidard lâcha son œuf d'or. «Le 11 décembre c'est la saint Daniel! fit remarquer Saint-Daniel... Ça va te porter chance pour lancer ton œuf! Jésus vient toujours au moment où tu t'en attends le moins... C'est son usine ici!»

Blanche Bidard avait lâché le potage aux œufs. Le fou de la rue Antoine-Dubois répondit: «Possible! d'un air absent et détaché. L'art de boire du muscadet, c'est savoir décrire le geste, du zinc aux lèvres... et jusqu'au tréfonds des entrailles de la bouteille.

— J'suis toujours immigré partout où je vais! se plaignit Jésus... J'en ai marre!

— C'est parce que la clef du Paradis est trop lourde à porter!» aurait, sans nul doute, répondu Rébillard.

Blanche Bidard fit sauter la tête de la dernière allumette, au même moment. Ursus l'Indien, de la tribu des voleurs de chaises, apparut dans la pénombre poussiéreuse de l'escalier menant au Moyen-Âge: «Moé donner Achille, deux haches pour deux chaises!» dit-il. L'échange se fit: deux vieilles pour un œuf. Ursus emporta les chaises volantes dans son tipi. Quant à Achille, Paris lui empoisonnait définitivement le talon de ses flèches...

Le vieux Chinois, qui faisait souvent la gueule, avait développé ce talent probablement à cause de l'attitude décontractée de certains de ses clients qu'il considérait ignares et primitifs dans leur façon de boire et de manger, de leur propension à ne pas se laisser impressionner par sa binette de pas drôle et de cet éternel mal de distance sauvage qui fait qu'on s'étire naturellement les jambes comme si on était seul au monde. En fait, le vieux était jaloux sans le savoir et c'est ça qui lui donnait cet air de litchi pressé. S'il ne voulait pas se mêler aux autres, il n'avait qu'à retourner en Chine! Il y a du soleil oriental, là-bas... paraît-il.

122. D.D.D.

Un soir, à la petite brunante, Didier Dupont-Durand (D.D.D.), le grand comique plate français, entra, comme un beigne dans le trou d'un chameau, à l'Auberge de la Lune Menteuse. Le grand comique s'emmerdait, comme beaucoup de grands comiques d'ailleurs... Ce n'était plus, hélas, comme au début de sa carrière, quand il œuvrait au sein de la famille Crache-ta-soupe, avec qui il se plaisait vraiment à faire des folies... Mais depuis? L'habitude? Le fait d'avoir trop ri déjà? Était-il devenu un traître à la folie à force d'en avoir fait son métier? Celle-ci le négligeait-elle pour une raison de domesticité? Quelle platitude parfois que de vivre dans la peau de celui qui est censé faire rire! Didier en avait gardé une allée de faux plis qui, petit à petit, le poussèrent à sombrer dans une espèce de farce léthargique, une blague qui n'aboutissait à rien et dont il ne riait même plus lui-même.

La famille Crache-ta-soupe, composée de six beaux légumes, avait adopté, à l'époque, la formule d'humour rapide et promotionnel. La formule expéditive. C'est-à-dire: lancer des tomates aux gens avant de s'en faire lancer. Humour provocateur, peut-être? dévastateur, sans doute! primaire, certes! prévenant, oui!!! La prévenance dans l'humour... Voilà le truc que la famille Crache-ta-soupe avait trouvé! *Vaut mieux rire avant de pleurer après!* Nous passerons ici sous silence les curieux procédés utilisés pour dérider l'auditoire... Comme dans la célèbre scène du restaurant, par exemple, où leur truc inoubliable consistait à s'asseoir, toute la sainte famille des Crache-ta-soupe — le père, le fils, D.D.D., etc. —, à s'asseoir, donc! dans un restaurant bien peuplé, tandis que le père nettoyait son dentier à table avec un cure-dent... en crachant les surplus un peu partout. Super gag! Succès étonnant! À chaque fois, des multitudes de rappels... Et puis un jour, Didier (D.D.D.) en eut rat dans la bolle et tuyauterie infestée. La malédiction de Ti-Rat venait de se lire entre les lignes. Maintenant D.D.D., sans amertume, sauf pour ce qui a trait à l'humour plastique et aux applaudissements préenregistrés, allait chaque soir à l'Auberge de la Lune Menteuse dans le seul but de se faire couler un bon bain de belle bière blonde baveuse à la mousse pastorale, et d'y chanter: «Je suis seul ce soir... avec ma grrraine!!!» La solitude lui frottait le dos... De cette même solitude qui, jadis, le poussait dans le dos, sur scène. Elle était toujours là, mais écrasée contre un dossier de bar depuis une bonne décennie, et elle s'était muée, peu à peu, en peur d'avoir peur... Deux peurs qui s'annulent, mais deux peurs quand même, des vieilles peurs rouillées comme des vieilles farces plates.

Dans le mensonge lunaire, deux peurs valent mieux qu'une... Mais une peur avertie en vaut deux!

123. EN REVENANT DE LA VENDÉE

«Vous êtes témoin, monsieur? cet homme se fout de ma gueule!

— Moi? Non! je regardais à travers un océan de molécules... Je n'ai rien vu de vos combines.»

Le train Corail 3760 faisait son solo de batterie, électroniquement programmé de Angers à Paris-Montparnasse, sur sa voie préferrée... Il traversa des néants de vaches et des pâtés de maisons. Une fille, aux belles fesses à la paire, n'eut le temps de passer dans l'allée que déjà la S.N.F.C. lui brassait le bassin au passage du Mans. Les atouts charmants disparurent à l'horizon. Un pépé et une mémée les remplacèrent dans la voiture numéro 20.

Une Heineken embuée passa à portée d'une main et s'engouffra sous une moustache touffue. Mémée, appuyée sur sa canne, gambada vers le fond du wagon, en direction du bar. La cloche de départ tinta son angélique Cling! Clang! Cloung! et le train 3760, en provenance de l'arrière-dimanche, se secoua en plein soleil, en s'étirant d'un mouvement sûr et continu à travers les lundis relâchés de la campagne française. Ubald eut soif et dégringola vers le bar. Au même moment, sur une butte avoisinante, un ancêtre gaulois quelconque regardait passer le train en se disant probablement: «Il faut bien suivre le progrès qui nous pousse!!!»

Le soleil diminua entre les clochers et un ciel d'aquarelle se fondit sur le vert des prés. La fin d'après-midi se muait, se moulait pour ainsi dire, en flagrant début de soirée. Griffé de nuages étirés de fatigue. La 1664 de Kronembourg se joignit au 3760 d'Angers, avec un balancement régulier... la courbe suivant sa ligne, et les arbres se sauvant par en arrière... les passagers ne se doutant de rien. La fille aux grandes lèvres suçotait sa mandarine... Ubald n'y tint plus, il demanda une autre bière tout en continuant à nager dans le spectacle de la veille, noirci de vin de nuit. Oberlin, le gros tacheux de Vendée, l'avait ébloui. Cré vin noir! La jeunesse sans avenir voyait déjà son train arriver à reculons. «On a vu et on s'est dit: on va aller voir!»

«La viande doit mourir une semaine avant d'être mangeable, à moins d'être consommée vivante, rappella le cuisinier du train, au passage... N'oubliez pas! elle doit perdre son eau.

— J'ai beaucoup entendu parler de vous, en bien et en mal... lança Ubald.

— Ça prouve que j'existe! répondit la jeunesse à reculons.

— Je sais, j'en arrive justement! signifia Ubald... J'étais même là, hier. C'est pour ça que je regarde vers l'arrière du train. C'est mon dos qui fonce.»

Le train s'appropria la banlieue parisienne et s'infiltra dans le gris de sa ferraille, rouillé par le soir. Un dernier cri du ciel embrassait le tout, nuageuse lèvre rose. Ubald entra de dos, à Saint-Cyr, clignoté de phares et sillonné d'arbres crispés. Versailles daigna, un instant, faire stopper l'engin. On avait changé d'époque depuis le temps! et il se faisait tard... La nuit fit pression et le 3760 la fendit jusque vers Montparnasse, avec son reflet intérieur aux fenêtres. Banalité courante entre les ressemblances de chaque banlieue. Ubald en profita pour

pisser son argent. Vanves-Malakoff le retinrent quelque peu, jusqu'à la Bienvenue. Il était 17h34 exactement.
«Travaille tes enchaînements!» suggéra la S.N.C.F.

Sur le mur du métro, on pouvait lire: «Le Pen, si jamais tu accèdes au pouvoir, feras-tu tes essais nucléaires en France ou à Muroroa... chez les étrangers?» Les Nègres jouaient au balais sur le plancher. «Y sont pas comme nous!» cria la rumeur individuelle. Saint-Daniel rota... et Ubald se regarda aller. Madame Lamarque se plaignit encore. Était-ce une fuite de larmes ou de vin noir?... ou simplement un peu de condensation dans le plafond???

Toc! Toc! Toc! «C'est qui?
— C'est Didier! T'es déjà couchée?
— Sac-à-vin!!!»

Le fou de la rue Antoine-Dubois veillait sur eux tous, en charnière. La vieille ciboère referma sa porte. Quand elle rentrait avec son jeune, tous les autres en crevaient de jalousie.

«Goûte le vin noir de Jésus, vieille calvénusse!
— Salope!» cria le jeune garçon boucher en tapochant mâlement la «Ice Fever» machine.

Les Québécois se tenaient tout seuls dans leur coin. «L'éducation, c'est le catalogue de l'école!» hurla Achille en aspirant tout le passage avec son pétard. Le vin noir de la défaite péquiste coulait, noir comme une glaciale nuit d'hiver quand les étoiles pompent. La bière en canette déambulait, penaude entre les chips et les pinottes salées. «Putain de Québécois! Immigrés! Pédés!» hurla un exilé en fracassant son verre sur le côté cour de la Délégation, rue Pergolèse. Stupide cocktail-molotov vide... Régression ou élan pour l'avenir? Pain sur la planche? Opposition au vin noir? Coup d'éperon dans le sirop? Nettoyage? Remodelage? Un changement, du pareil au même... de toute façon! «C'était un peu prévisible! aurait pu dire Maurice, en se consumant lui-même. Même si j'aime mieux avancer mal que régresser!!!

— C'est bien que l'on coure ainsi d'une chose à l'autre! chantonna Jésus... C'est l'Amérique!!!»

Ne vous endeuillez point dans le pouvoir imbécile, mes agneaux! Sur le chemin de la Mecque, ce n'est pas la Mecque qui est importante! mais bien la route pour y arriver... Allah est grand, mais à côté de vous, il est un nain.

«J'ai peur de moi! cria Saint-Guy. Je veux une émeute, rien de moins!

— Que penses-tu de tout ça?» demanda-t-on à Ubald. Celui-ci regarda le verre brisé que le gars avait lancé devant lui, dans la cour de la rue Pergolèse, il serra ses poings dans ses poches et dit simplement: «J'en pense, ça!

— On va pas être déçu du voyage! prédit la bourgeoise...

— Bof! soupira Ubald, clopin-clopant... Quels sont les sons modernes?

— C'était seulement une blague! expliqua celui qui avait lancé le verre.

— Tu peux y rester cent ans, tu ne connaîtras jamais Paris!» traduisit l'écho, à travers son épiderme.

Marie-Madeleine appuya sa vie contre le mur, à l'angle de la rue Saint-Denis et Greneta, juste à la croisée. Conscience mi-lourde (les comètes durent si peu longtemps!) sur un ciel d'encre.

Dans le journal on pouvait lire: «La violence chez les enfants. Ils l'aspergent d'essence et craquent une allumette.»

«Les jeunes sont en santé, pensa Ubald... Ils ne songent pas aux maladies des vieux!» Pas un instant...

124. RAYMOND, LE PAPA-WAITER

Raymond le papa-waiter travaillait dans une auberge ancienne, à l'intérieur ocre. Cette auberge flottait, très loin au cœur d'un pays imaginaire dont le roi, avide d'argent, n'aimait pas boire. Ainsi, il taxait démesurément le saint liquide, sous prétexte que le degré de production est inversement proportionnel au degré d'ébriété chez un peuple que l'on laisse aller. Quel vilain roi! Les habitants de ce joyeux pays n'avaient donc, pour seule joie, qu'à rêvasser bêtement face au reflet de leur téléviseur, lequel leur transmettait subliminalement les pires idioties contemporaines, venant, la plupart du temps, d'ailleurs. Et tout se faisait à cette échelle, dans ce pays. Les bars étaient devenus des aquariums, avec écrans géants, où les poissons étaient tous du mauvais côté. Tous se ressemblaient, en s'assemblant. L'insipidité personnalisée y régna bientôt en reine. Épaisse et imitatrice.

Un seul endroit avait échappé à ce lessivage commercial imbécile et c'est là qu'évoluait Raymond le papa-waiter et son regard hagard. Le patron, qui n'était pas trop au courant des derniers développements de la mode, avait laissé patauger l'établissement dans son bain naturel. La chaleur spirituelle, qui réchauffait l'âme de la clientèle à travers la personnalité du bon papa-waiter, donnait à l'endroit tout son cachet. Raymond avait une terrible mémoire des noms et nulle beuverie d'époque n'avait de secret pour lui. Il offrait la sécurité mentale qui donne au temps un léger répit, une suspension, pour ne pas le taire. Il était certain que le vilain roi en serait lésé. Qu'il taxerait de plantes, de grands châssis et de suppléments monétaires ce merveilleux confessionnal. Bientôt, nul ne pourrait réfugier sa nature humaine et ses délicates erreurs ailleurs que dans les laboratoires... On sera loin du magasin général des émotions. On frôlera l'usine de la récupération.

Raymond le papa-waiter avait exercé cinquante-six métiers et connaissait son monde. Il avait été marin à Istanbul, guide à l'Oratoire, plâtrier, tireur de joints, plombier anonyme, vendeur d'automobiles, commis de boutique d'antiquités, chômeur, vendeur de loterie, etc., et jamais personne n'avait pu lui faire croire qu'un petit brin de conversation, échappé comme ça du coin des lèvres, pouvait nuire à quelqu'un. Évidemment, il y a les caractères taciturnes! Raymond leur parlait en langage sourd-muet. Sa décontraction atteignait tout le monde, à l'auberge. On lui vouait un respect sans borne et personne n'aurait osé lever la patte sur lui. Même les chiens les plus piteux subissaient son charme. Raymond aimait les animaux. À son contact, la gent canine gardait son calme. Chien qui boit ne mord pas... du moins, pas en même temps!

Le dimanche, son jour de congé, il organisait des parties de balle-molle pour les désœuvrés de son entourage. Histoire de ne pas les laisser déprimer précipitamment. Le vieux roi en eut vent. Évoquant l'adage qui veut que, quand les gars sont satisfaits et qu'ils ont fourni un effort commun, ils vont boire, il accusa Raymond d'inciter son prochain à la beuverie, par des moyens détournés. La bière augmenta alors de 33%, afin de décourager tout bon sportif d'en prendre. La bouteille de Côtes-du-Rhone fit un bond prodigieux et se vendit cinquante-deux dollars l'unité. Le paquet de cigarettes atteignit un prix à couper le souffle à n'importe quel arrêt-court. Le Mouton-Cadet fut consacré objet de luxe et clôtura hors-prix. Le logement, la location, le loyer même des usagers grimpa de 102%. On put ainsi créer de magnifiques rues piétonnières où les chiens, sous la direction d'un Raymond repentant, apprirent à garder tout leur caca par en dedans, en ayant toujours l'air propre. La race en perdit tout son chien. À l'exception de quelques poodles de parade, le réseau fut déserté. Les gens, à défaut de marde, devinrent de marbre. La femme de Loth fut même changée en statue de sel, en voyant deux chiens se retenir. Les clochards perdirent définitivement leur droit de pavé.

La grand-mère de Raymond, une svelte centenaire à qui on avait greffé un bras de lanceur de balle-molle à la suite d'un accident, décida de réagir. Elle empoigna un de ces proprets pavés et le lança vigoureusement dans la vitrine de l'établissement gouvernemental régissant la vente des saints liquides. «Si la marde ne vient pas à eux, ils iront à la marde!» vociféra-t-elle, en parlant des pavés. Tous l'imitèrent, ce qui ramena leur soif dans la bonne direction. On arracha le superflu, on lacéra la mode. Le néo-punk était né. Les médias s'en emparèrent. Bientôt, tous copièrent les uns sur les autres. Le peuple en devint un d'imitateurs. On fracassa tous les reflets. On se reprimitiva à l'intérieur de vieux garages et la petite vie put reprendre son cours à partir d'éléments plus plausibles. Le vin se vendit cinquante-trois sous, la bouteille et le pavé décoratif, cent soixante-sept dollars pièce. Les chiens desserrèrent leur ceinture et Raymond put poursuivre son apostolat. La grand-mère, que tout cela avait remis en forme, fit office d'entraîneuse au sein du club. Elle se mit à distribuer généreusement tout son amour et cela servit de leçon à chacun. Le roi, devenu inutile, se construisit un asile avec les excédents de pavés et certains racontent qu'il y termina sa carrière dans la tisane. La déchéance a parfois de ces détours!

Maintenant, les chiens vont pisser librement sur son mur et King Gustav en jappe de jalousie.

La thérapie de groupe est multipliée par autant de gouttes de pluie acide que de retombées économiques. Déjà, les chiens grognent en silence et montrent les dents face aux événements, en voulant dire: «Vous ne pensez pas qu'il serait peut-être temps que vous nous foutiez un peu la paix?» Mais le champignon nucléaire grossit de plus en plus. La démesure même plafonne. Le noyau se fend en se prenant pour son reflet. Babel capote ben raide! Heureusement, voici Raymond!!!

«Quatre... non! Huit verres, Raymond! ... Sioux plaît!»

Raymond possède un frère au Brésil, ainsi qu'un bout de terrain. Son frère, Marha, est un *hynoptiseur* qui a une idée très exaltante de lui-même. Il ne doit d'ailleurs jamais cesser de l'avoir, sinon il mourrait intellectuellement, poco a poco, coulé jusqu'au cou dans le bonheur. Marha a une fille, prénommée Mercédes. Elle est un peu attardée. Elle a manqué d'air, en venant au monde. Marha, en l'entendant crier, lui a fait boire une bonne rasade de mezcal, ce qui a eu don de la saisir comme un steak sur un fer à repasser. Depuis, elle vit avec son père dans une maison éloignée, à la sortie du village. Le vendredi soir, à l'heure de la paye, son père reçoit habituellement quelques joyeux copains à la maison. Ceux-ci aiment bien Mercédes. Ils disent que c'est les gros chars. Ils l'entourent doucement et lui frottent ses intérieurs de portes capitonnées. Ils lui astiquent ses boutons. Ils lui donnent un peu de gaz et elle fait des vroum-vroum. Son père croit ferme qu'avec ce traitement, elle guérira bientôt et qu'elle pourra enfin prendre la route. Déjà, elle hurle et elle bégaie. Les premiers balbutiements trouvent leur voie. Suivons-les! Ils se cherchent des combats pour pouvoir prendre de la valeur. Ils tentent de fuir, face à ce qu'ils pourraient devenir. Ils ne veulent pas coaguler ni passer le reste de leur visite, assis comme des souches. Ils veulent grouiller. Tous ces mots en ont plein le cul d'être coincés dans une gorge. Ils veulent s'exprimer librement, sortir d'eux-mêmes. Ils n'en peuvent plus de cette connerie. «Et on voudrait que je sois normale!» ont-ils le goût de gerber à la face du monde. Ils s'énervent et s'agitent. Ils roulent des yeux avec panique. Heureusement, tonton Raymond est là pour apaiser le conflit. «Huit autres, Raymond! S.V.P.» L'assemblée se recueille et prie... Pour le rétablissement de la pauvre petite. Amen!

125. OFF!

Un fabuleux poète inconnu un peu désordonné sollicitait les passants, sous la pluie, rue Antoine-Dubois. L'hôtesse de l'ère folle était assise dans l'eau, montrant son cul à la grille. Tous passèrent dans le broyeur. La cour des miracles, au complet! L'ancien combattant regarda la belle fille qu'il ne lui était plus permis de toucher. Finie la romance dodue! ... et il se rattacha à son demi, sachant qu'il n'avait plus rien à promettre qu'une éjaculation précoce, une animalité instantanée ainsi qu'une liberté provisoire. La vie l'avait amené là, et il payait ce qu'il buvait avec une approche discrète du concept de la propriété et de la sobriété. Le zinc le ramenait, à la fois, à la ligne d'arrivée et à la ligne de départ. Le jeune et fringant Didier arrosa le lavabo de son boyau court et dur. Il fit volte-face et désajusta une orange dans le broyeur. Madame de la Barnique, pendant ce temps, essuyait parcimonieusement les assiettes, les yeux dans ses petits souliers noirs, au-dessus de sa jupe brune à carreaux verts. Son gros enfouaré de mari vendit son 81 924e paquet de cigarettes, avec le même sourire de flétan, main sur l'habitude, cigarette au bec. Il céda son 81 925e à une mâcheuse de gomme bronzée ainsi qu'un billet de loto à son propre sosie, au cas où il gagnerait à se dédoubler dans un autre commerce du genre. Un vieil habitué libéra, hors de sa casquette, une paire d'oreilles au moins aussi écarlates que ce qu'il buvait. La rougeur fit le tour de son cou, se répandit sur les joues et se coula entre celles-ci. Un état de transe s'étira entre les murs et un muscadet patina sur le zinc. La patronne s'inquiéta d'une voix chevrotante: «C'était payé?» «Tout payé!» rassura le fidèle Didier.

Henri attendait que le téléphone se libère mais une espèce d'Africain y émettait des sons bizarres depuis une demi-heure, toutes narines ouvertes aux émanations d'urine avoisinantes. Il faisait des glou-glou, goulou-goulou, en riant à mille dents. Henri termina son muscadet et s'en fut au Saint-André-des-Autres, pour en utiliser le nègre... euh! le téléphone. Un crémeux névrotique à moustaches prit sa place au zinc. Henri s'avança, lourd et lent. Madame Julienne n'était toujours pas rétablie, constata-t-il, en passant devant. Au même instant sublime, un symbolique groupe de touristes québécois essayait de lire le nom des restaurants, rue Grégoire-de-Tours. Saint-Robert lévita en tenant une fourchette piquée vers le haut, trois rues plus loin... Était-il fatigué d'être là? Antoine Dubois avait-il perdu son fou? («Vous aimez la poésie?») Les poissonniers lavaient leurs histoires à grandes eaux. «Le service trois pièces est avancé!!!» Le Ticon se défonçait bêtement d'une normale platitude et les verres s'entrechoquaient d'ennui... Le Temps se figea. Désertique. Les amoureux se virent refermer la porte devant eux...

126. PETIT À PETIT

Petit à petit, Henri devenait un assassin... Il voulait décidément tuer ses personnages. Il les poursuivait dans sa tête, les bousculait, les traquait, voulait s'en débarrasser, et eux se liguaient contre lui, le harcelaient de plus belle. Et son histoire était d'un tel fouillis, d'un tel curieux mélange qu'elle donnait à sa tête des propriétés de serre chaude qui entretenaient une végétation de plus en plus étouffante. Histoire de fermer les livres avant de capoter, il tenta de pousser Ursus dans un coin et de se le faire sortir par une oreille comme on fout quelqu'un par la fenêtre... et c'est dans celle-ci qu'Henri vit transparaître la silhouette si particulière de l'inspecteur Épingle alors qu'il menait une large enquête sur un certain Romular C.F., la torpeur incarnée des bas-fonds... C'était peu avant que le marché soit pris en main par le célèbre gang Firpo, dont le chef Firpo-la-barnique côtoyait nul autre que Jimmy-le-pusher et sa charmante concubine Vinaigrette-les-dents-égales. Jimmy-le-pusher, recyclé par la suite dans un domaine tout aussi équivoque, est aujourd'hui trafiquant d'éperlans. Mais il garde toujours, après toutes ces années, ce même langage mystérieux et chuchotant du hors-la-loi qui vend des poissons comme si c'était défendu, en regardant sans cesse autour de lui pour voir s'il n'est pas surveillé. Racines profondes? Algues du subconscient? Il faut dire aussi que l'œil de l'inspecteur ne négligeait personne à ce moment-là (sauf, assez étrangement, lui-même). Il aurait fouillé l'arche de Noé, s'il avait fallu. Les âneries, les vacheries... il n'en était pas à une près! L'inspecteur était en effet, fort distrait, à cette époque... Il entrait, par exemple, chez lui et se croyait facilement chez des voisins. Ses agissements prirent une envergure plutôt diatonique. Il marchait dans une pièce, en ouvrant un parapluie à l'envers et en soulevant son pantalon comme s'il sautillait en plein déluge. Or, cette pièce était complètement à sec. Il avait de ces attitudes qui laissèrent croire bientôt que l'arche de Noé était dans sa tête et sombrait sans retour. L'inspecteur se trouvait alors totalement sous l'emprise de Romular-le-terrible qui le maintenait sous sa poigne par des procédés illicites mais quand même parfaitement ouverts. Notre fin limier jura qu'il réagirait à cet état de choses qui l'amenait lentement vers le vide tout en lui donnant une illusion de plénitude continuelle. C'est ainsi qu'il partit en croisade personnelle contre l'abject Romular C.F., lequel inondait maintenant toutes les pharmacies de ses néfastes pilules pour le rhume, faisant de tous des enrhumés volontaires, des esclaves et des voleurs... Il avait même, ce Romular, poussé l'inspecteur Épingle à former, à son insu, un réseau de jeunes filles spécialisées dans le vol à l'étalage dans les grands magasins. Ce fut d'ailleurs à cette même occasion que tout se gâta, lorsque Firpo, lui-même sous l'hypnose névralgique de Romular (au point de s'en prétendre même le dauphin), ressentit un amour secret, dans son âme droguée, pour une de ces jeunes filles. Firpo se bourra alors de capsules et de sirop. Il tenta, dans un premier temps, de dénoncer les agissements de l'inspecteur, puis vola une bagnole et kidnappa la jeune fille. Rue Sherbrooke, près du Chat Noir à Aristide, la voiture carambola de tous ses chevaux et alla en heurter une autre dans laquelle siégeait une dame aimable et polie, en compagnie de sa gamine. Le choc fut brutal... mais pas assez pour Firpo qui réussit, tout de même, à sortir par la fenêtre en emmenant son otage avec lui, sous une pluie de larmes au sirop pour le rhume. Ils coururent ainsi pendant une partie de la nuit et, apercevant un café au bout de leur fuite, ils s'y engouffrèrent aussitôt. Signe du destin?

L'inspecteur Épingle s'y trouvait justement... et, profitant de la situation pour se défaire de Romular, administra une violente claque sur la joue molle de Firpo, pour ramener la réalité à sa place. Firpo alors le supplia: «Tue-moi!» en cachant sa lâcheté sous son bras.

«Tue-moi, mais ne me fais pas mal!

— Je ne te tuerai point et ne me fais pas chier! répondit l'inspecteur, en le prenant par le bras, ainsi que la fille. Tu seras jugé équitablement par tes semblables. Je te ramène dans ton repaire et tu verras par toi-même, si les membres de ta secte apprécient ce genre de situation.»

Au repaire, raconta plus tard l'inspecteur, la bagarre fut serrée. La mort cogna même aux murs, pendant que les membres de la secte brûlaient les rampes d'escalier dans le poêle à bois. On entendit de grands cris. Firpo frôla l'agonie. L'inspecteur conserva son flegme en regardant se tordre les forces maléfiques de Romular, à leur point culminant, alors qu'elles se retournaient contre elles-mêmes. Firpo en fut grandement tuméfié. On entendit sa tête heurter le plancher, comme s'il luttait contre un démon aux mêmes tendances que lui. Puis, tout à coup, plus un bruit. Le calme plat. L'inspecteur reprit son parapluie, prêta main ferme à l'otage et sortit triomphalement, de ce pas désormais rétabli.

L'incident était clos et on pouvait dorénavant fermer le dossier, faire glisser la porte du casier et y mettre un bon cadenas. L'inspecteur avait frôlé la corruption et il n'en ressortait que plus fort, mûr pour toutes ces futures enquêtes qui devaient le mener au poste qu'il occupe aujourd'hui. Henri allait-il devoir faire appel à l'inspecteur Épingle pour le sortir de sa propre tête? Il devait fuir, s'évader... Son chapeau magique devenait trop lourd à porter et son corps ne suivait plus, incapable désormais du moindre mouvement et de la moindre initiative. Il décida d'aller se saouler pour laver son cerveau, avec l'envie de pisser tout cela...

Ça n'aboutissait à rien dans la tour de Babel. Quand on découvre progressivement qu'il y a tout un zoo qui nous habite et que d'autres vivent en nous-mêmes, ça devient plutôt gênant à la longue, pour ne pas dire harassant. On se surveille, on a constamment l'impression de s'épier soi-même, on veut penser à autre chose mais il y a toujours ces «non grata»... «Plus jamais je ne m'embarquerai dans pareille aventure! s'écria Henri... Plus jamais je ne tenterai même de penser à écrire! Tous ces tissages sont trop tendus pour laisser filtrer quelque histoire pertinente. C'est à n'en plus finir...»

Mais les personnages se lassèrent eux aussi, et quand ils se mirent à décrocher plus massivement à leur tour, ce fut Henri qui, cette fois, regretta leur présence. Il trouva, malgré l'activité volcanique de son intérieur, que son néant s'élargissait et devenait progressivement plus grand. Heureusement, quelques familiers rôdaient encore. Les autres? Henri sentit qu'il commençait à passer outre, lui aussi, pour ne pas étouffer dans la jungle de Saint-Je. «Je brûle! Burn out! Je deviens fou... reprenez votre liberté! me voilà debout sur le bûcher! Allez! Sortez!»

Henri devenait un étranger. Ces profondeurs, ces couloirs, ces labyrinthes, ces passages, ces oubliettes, ces trous à rats et à fromage, ces pièges, ces coulisses, ces ramifications ressemblaient de plus en plus à une cité sans fond ni plafond. Tout ça était d'une telle confusion: phrases rapportées, collages sans suite, logique absente. Rien de soutenu parce que rien à soutenir. Ce récit, tissé de fil alcoolique, manquait de tête et de noyau. Rien ne se tenait dans cet assemblage de riens mais personne n'avait demandé, au départ, si ça devait se tenir. Tous avaient embarqué dans son projet sans se poser la moindre question... Et maintenant que la confusion régnait, on était prêt à accuser n'importe qui de n'importe quoi. On parlait d'inexpérience... Un pays en entier chavirait. Dans un branle-bas de fonds de tiroirs, chacun tentait de sauver les meubles... Henri coupa court à tout cela. Désarticulé mais non démonté, parce que n'ayant jamais été tellement structuré de toute manière, il laissa choir et laissa faire, en croyant encore au miracle de la mise en place finale. «S'il y a quelque chose là-dedans, pensa-t-il, ils le trouveront bien eux-mêmes.» Qui perd gagne dans la chasse à cour à scrap, sans queue ni tête... Foie, pancréas, estomac, poumons... Tout était à l'envers, mû par un mouvement sans cœur. «Ça manque de timing! cria un horloger suisse.

— Ça manque de tempérance! suggéra un fanatique du franc parler.

— Auriez-vous besoin d'un metteur en scène??? demanda Jésus.

— As-tu encore besoin de mon arche? s'informa Noé.

— Vous ne prendriez pas un pensionnaire de plus?» tenta subtilement Baby Doc, the sparkling one...

Cet état de choses (tempêtes de phrases libres et de solutions goutteuses), ce chaos, nécessitait effectivement une mise au point. Fallait-il un dictateur pour s'occuper du classement dans ce classeur défectueux? Henri se demanda s'il ne devait pas sauver ses propos de l'éminent déluge de lui-même... Il en sauverait du moins l'apparence, l'illusion de s'être rendu jusqu'au bout. Pour ce qui est du fond, les naufragés le trouveraient bien eux-mêmes. Pour l'instant, la forme flottait encore. Prêt à tout lâcher il y a cinq minutes, Henri reprenait la barre une fois de plus. Sa vie lui tenait à cœur, même s'il n'en connaissait pas forcément toute l'étendue. Il la mènerait jusqu'à la fin, peu importe le port, l'issue... «Tout ça, est comme un jardin! se dit-il. Tu plantes, ça pousse, tu jettes un coup d'œil après, tu sarcles. Tu fais pas ça pour que les autres disent que t'as un beau jardin. Tu le fais pour toi, pour sauver ta peau!»

127. MINUTERIE

«Écoute, Séville! Les gars font dire que...

— C'est long et plate, ton affaire... Ça me prend personnellement des histoires qui bougent plus que ça. Tu y repenseras, Séville, si tu veux me réengager, me jette Ubald.

— C'est vrai, que fait-on? demande Achille, en levant son verre. On pourrit là-d'dans! Envoie-nous ailleurs! Allons en Amazonie!

— Tu fais de nous des alcooliques, Séville!

— Tu fais de nous des drogués! tousse Maurice.

— Pourrait-on réintégrer une vie normale, s.v.p., monsieur Saint-Je? C'est bien beau «la matière brute» mais quand même?»

... Jusqu'à Saint-Claude qui s'approche gauchement, avec son appareil photographique en main: «J'voudrais aller à Notre-Dame, monsieur!

— Personne ne vous en empêche, cher ami... Allez-y!

— Vous devriez vous faire soigner, monsieur Séville!

— Faites-moi pas chier! Je ne vous ai pas tordu le bras pour vous égoutter, que je sache...

— C'est vrai, Séville, qu'on n'arrive nulle part avec ton truc!»

Chacun en profite pour essayer de réapprendre à vivre sur mon dos.

«Écoutez les gars! Si j'arrête tout, non seulement on aura perdu du temps (ce qui n'est pas grave...) et vous mourrez subitement (ce qui tourmenterait sûrement ma conscience oisive) mais en plus, vous serez venus au monde bêtement, pour rien. Laissez la destinée décider d'elle-même! Et grouillez-vous donc un peu!

— On veut des histoires solides, avec de l'aventure, des femmes, du sang! Rends-nous plus cohérents dans nos conversations!

— La prochaine fois, écris un roman! avec un début et une fin. Mais arrête de nous faire faire ta gymnastique de mental! Ça n'intéresse personne...

— C'est vrai, Séville! Donne-nous des raisons de vivre! On a l'air con, à ne rien faire d'autre que ce que tu nous fais faire.

— Si tu t'emmerdes, Séville, ne nous fais pas subir ça à ta façon! Nous, on n'en a rien à foutre. On aimerait mieux aller faire des randonnées en forêt, de l'escalade et de l'alpinisme. Faire des enfants, à la rigueur... Fonder une famille.

— Trouve-nous du travail! Occupe-nous! On en a plein le cul de végéter. On sait plus quoi faire.

— Invente-nous un bon scénario, drôle pour qu'on s'amuse!

— Habille-toi comme du monde et trouve-toi un autre job! Moi, j'démissionne...

— Attendez encore un peu, les gars! Ça ne sera plus tellement long, quelques chapitres, à peine... J'vous inventerai une aventure abracadabrante où chacun trouvera son conte. Vous verrez. J'vous mettrai assez de piquant là-dedans que vous crierez: Assez! Assez!»

En ce temps-là, le monde était gouverné par des femmes. Et la première chose qu'elles firent, en accédant au pouvoir, fut de fermer les débits de boisson et d'instituer la mise en forme physique obligatoire dans le but d'obtenir le maximum de bon sang pour les cliniques dont elles avaient le contrôle.

«Déconne pas, Séville! quand même...»

L'Amérique, cette fille blonde aux beaux yeux bleus (mais) qui pue des pieds... Elle est laide mais elle a un beau corps!

128. PETIT APPÉTIT

De plus en plus alcoolisé, il savait qu'il devrait dégriser bientôt. D'autant plus qu'à force de toujours bouffer dans les restaurants, il en perdait de plus en plus l'imagination nutritive. Désimbibé, il ne dormait plus et tout ça commençait à lui perforer les tympans. N'était-il pas à peu près temps?

Goutte à goutte. Henri décrochait et Ubald était déjà un peu parti. Babache prit la clef de son cœur et ferma lentement boutique sans trop regarder derrière, s'étant libéré du boulevard de Magenta, la semaine d'avant. Il retourna dormir sur le lit de camp du début de sa carrière. Tous en étaient là, d'ailleurs... Retour aux sources?

Qu'est-ce qui leur prenait tous de vouloir ainsi se dégager de leur personnage, de laisser derrière une partie de leur peau, de leur vie... et de voyager en pensée comme seul moyen de locomotion pour le futur? Ils revenaient tous d'un long périple à l'intérieur d'une mer agitée. «Maigre femme, grasse maîtresse!» disait Jésus. Il faut prendre le tournant avec souplesse et intelligence, sans nécessairement toujours s'accrocher à ce qui fut. Le temps passe et lave. Déjà, Henri buvait moins et tentait de gagner du temps... Le fou d'Antoine Dubois ne savait même plus ce qu'il voulait écrire ou décrire de son œil myope. Un clochard avait chié à côté de sa crèche et s'enroulait dans ses langes pour ne pas sentir. Une odeur de bœuf à l'âne filtra entre les étoiles. L'année 1985 après Jésus arrivait à terme. Tout recommencerait à zéro.

Jésus jouait au gars dégagé, comme ça, mais il ne manquait jamais l'occasion de récupérer le fric par derrière. Une formule plus simple restait effectivement à inventer... À petit appétit, les membres se disloquaient et les acteurs de la même pièce se délaissaient, faute de scénario. L'inspiration s'éloignait à petits pas, sur la rue de Turbigo. L'imagination filait déjà ailleurs. La statue de la Place de la République leur fit un salut à travers les branches. Liberté-Égalité-Fraternité... Henri n'en finissait plus d'en finir. Un petit poussin tout chaud réussirait-il à sauver le monde de sa bête coquille?

Le Père Noël passa près du Louvres, avec sa fée des étoiles et son chien, dans son char. Un Père Noël vieux et miteux sortant directement du grenier de mai 68. Henri se fraya un chemin à travers la foule. Ses yeux le tirant vers l'avant et le passé lui poussant dans le cul, de son gosier ne sortait aucun cri autre que le cri de la soif. En dedans, il éclatait, il se désintégrait... Mémère Destinée passa avec sa canne, sa tuque et ses gros sabots, issue d'un autre âge. Henri craquait de toutes ses fentes. Maintenant qu'il avait tout siphonné de ses acolytes fictifs, il ne pouvait plus s'en débarrasser. Il devait faire preuve d'amour et disparaître lui-même. Jésus lui murmura: «J'ai déjà fait ça et ce fut un truc qui a très bien marché.» En fait, ses personnages se fondaient de plus en plus en un seul. Henri les repoussait à un bout de la ville, se sauvait à l'autre bout mais il les voyait, chaque fois, revenir... car il leur collait aux pattes. «Les gens changent, les cellules se forment et se séparent», pensa Henri. Il ne lui restait que dix-neuf pages à écrire, selon son contrat et dix jours à tirer dans sa cage. À deux pages par jour, il les écumerait tous, y compris, lui-même. «Balayage libéral amassera mousse!» se dit-il, en se servant un muscadet bien frais. Rien n'était fini, tout recommençait sans cesse. Aller-retour. «Tu verras, un jour, tu viendras boire dans ma future auberge! avait promis Rébillard.

— On fera un film sur tout ça!» pensait Saint-Guy, en dansant dans son cerceau...

«J'ai repris mon scénario!» lança Henri, un beau matin. La vie continuait, envers et contre tout, Henri songeant combien ses personnages lui étaient chers. Son miroir lui renvoya l'image d'un gars fatigué et cerné de toutes parts. «Besa me mucho...» pompait Radio-Montmartre. Henri se sauva à toutes jambes, faisant des efforts pour ne pas mourir tout de suite.

129. PENDANT CE TEMPS, AU BAR-SALON DES VEUVES

Après-midi vert lime. Ça végétait ferme au «Widow's Bar», à Opelousas. Dans un coin, la petite maf locale faisait ses contes. Combien de liquidés cette semaine? Un seul? l'ex-mari de Crawfish? Tant mieux, ça lui apprendra la galanterie élémentaire! Fine Blade s'esclaffa en poussant sa chaise. Il jeta un coup d'œil en direction de la série de veuves qui picolaient toutes dans le même coin, près du juke-box, débarrassées à jamais de l'ombre conventionnelle de leurs maris. Crawfish était la plus coriace. Elle était tellement chronique, conditionnée et bourrée de tics, qu'elle semblait invulnérable à la peur. Trop névrotique pour être atteinte d'aucun projectile... sauf durant son sommeil, et encore? Elle ne dormait pas, elle faisait des crises. Achille l'apprit à ses dépens, une nuit...

La musique galopait à faire sauter les «fuses». Les veuves dansaient entre elles, lorgnant de tous côtés, à la manière de mantes religieuses en quête de chair masculine, plus ou moins fraîche. La petite maf n'était là, en fait, que pour défendre ses intérêts et épicer le conte rendu. C'était toujours le même scénario: un mari disparaissait pour aller chercher des cigarettes et on le retrouvait pendu. Une vraie maladie, très courante en Louisiane (au moins autant que la main de monsieur Racette). La municipalité d'Opelousas en avait déjà toute une brochette, si l'on peut dire... De là son nom peut-être, par extension créole: Opelousas, ou Époux lousses.

Les plus à craindre, dans cette région, n'étaient pas les gangsters. On n'était pas au Mexique ou dans ces pays macho-machin-chose où le seul rythme de vie est donné par la pulsion du sang mâle dans la bouilloire... Non, ici à Opelousas, les plus à craindre étaient définitivement ces insatiables veuves. Leur supériorité en nombre était manifeste et quiconque, de masculine condition, entrait en cet endroit, devenait une proie convoitée.

C'est exactement, en ce lieu-même, que, sous prétexte de distiller la culture cajun, de joyeux étrangers — Henri, Ubald et Achille — firent innocemment leur entrée. Quelques verres de «Wild Turkey Fire Bourbon» devaient provoquer le choc culturel nécessaire à leur implication sociale et leur permettre d'oublier un peu

Paris-la-vaniteuse et ses petites cliques à claques. Ici, ils n'avaient pas besoin de s'inventer l'Amérique, ils y étaient. Crawfish, la veuve fatale, établit, en catimini, sa convoitise à l'égard d'Achille. Elle s'approcha de lui, à reculons comme une écrevisse, et lui sauta au cou, toutes pinces aiguisées. Achille ne croyant pas faire aussi bonne aubaine, si vite, entra dans le jeu. À la table voisine, sept ou huit veuves s'entassèrent bientôt et se mirent à se battre à coup d'esclandres incompréhensibles et de mandibules velues...

Henri et Ubald étaient loin de se douter qu'ils étaient l'objet de cette adjacente altercation, que les veuves luttaient entre elles pour se les approprier, à leur insu, sans autre préavis. C'était vraiment le monde à l'envers! Dans la pénombre, près des portes de sortie, des yeux créoles protubérants, derrière lesquels on devinait des faces de croque-morts peu recommandables, surveillaient l'issue de la scène.

Achille quitta le premier, fièrement, au bras de Crawfish. Celle-ci l'entraîna vers le parking où une luxueuse voiture l'attendait (celle de son ex, peut-être?). Ponce-Pilate et sa bande s'en frottaient les mains, en se les lavant psychologiquement à la façon des ratons laveurs. Vous en vouliez des femmes, les gars? They're all yours!

Crawfish fit trois tours à toute vitesse dans le parking, pour impressionner Achille ou pour trouver son chemin, qu'importe! Ces villes ne sont pourtant pas grosses et il n'y a pas grand raison de s'y perdre, surtout pour aller au Motel. Les veuves restantes resserrèrent leurs tentacules autour d'Henri et Ubald, en sortant leurs drogues, leurs fétiches et toute une panoplie de lames et d'instruments de torture. Allions-nous assister à une révolution sexuelle? Nos deux lascars durent eux aussi les suivre à la pointe des pinces jusqu'au parking. Le harcèlement devenait légèrement plus significatif. Les veuves saoules volèrent alors deux bagnoles et entreprirent d'y faire entrer Henri dans l'une, avec trois des leurs, et Ubald dans l'autre, en compagnie de quatre veuves. Une trouille irrégulière glissa le long des jambes de nos zouaves. Ils étaient peu habitués à cette façon de procéder et trouvaient qu'on abusait quelque peu de leur précieux temps. Une grande veuve noire, portant un scarabée vivant piqué à sa boutonnière, sortit une grande seringue de son sac et se mit à la tapocher doucement pour en extraire l'air, à la façon d'un conte gouttes gorgé d'une vivante matière.

Au même moment, Achille sortit en courant du Motel, situé à côté du Bar-Salon, et tenta d'aller se réfugier dans le garage, poursuivi par une Crawfish déchaînée qui avait tout cassé dans la chambre et même arraché le fil du téléphone. La situation tournait au bad trip.

«Elle est folle! hurlait Achille... Elle veut me battre! C'est une alcoolique ulcérée au plus haut degré.

— Elle a une lame... Attention!»

Les autres veuves, en voyant le tableau, n'en furent que davantage surexcitées et leur incidence crochue sur nos héros devint nettement plus dramatique. Achille chia sur son courage et sa peur lui coula entre les fesses, jusqu'aux talons. Les veuves, tarentules en mal d'amour, se précipitèrent alors sur leurs victimes... qui tombèrent à genoux dans le parking, sous la charge.

«Assez! Assez! Pitié, Séville... Assez! Ramène-nous dans le contexte de tes textes cons! Pitié! Nous voulons revenir à Paris, Séville, où on peut boire en paix, sans amour. S.V.P., monsieur Saint-Je... Please!

— C'est bon, les gars! C'est bon! Mais maintenant vous allez me suivre tranquillement jusqu'à la fin, sans faire d'histoires.

— Tu surabondes, Séville! Sois plus sobre! Dégrise et tranche! Accouche, viârge!»

130. LA CHÈVRE ET LE PINGOUIN

«Lâchez-moi! Lâchez-moi! Laissez ma bête tranquille, criait la chèvre devant la vitrine pleine de décorations de Noël... Arrêtez de me harceler avec vos multicolores moustiques!

— J'ai tout mon temps, mais pas pour longtemps, martelèrent ses doigts de sabot, en marchant contre la montre, sur le boulevard Saint-Michel.

— T'en as pas plein l'cul d'écrire? demanda la chèvre au poète fou qui passait par là...

— Bien sûr que j'en ai plein l'cul, répondit finalement ce dernier... Seulement... j'ai l'cul dans la tête et je ne peux m'en empêcher, c'est plus fort que moi!»

Une vision figea son ombre froide, et le poète fou disparut dans la bruine.

La chèvre prouva qu'elle charriait beaucoup de microbes et le pingouin, une soif aveugle. La vision du poète fou n'en était d'ailleurs jamais revenue et attendait l'univers, au coin de la rue. «C'est un accident! justifia le garçon... rien de plus!» Et l'habitante passa aux mains de son habitant. «Voudriez-vous vous débarrasser de moi, s'il vous plaît?» demanda poliment Henri...

Ça sentait le croque-monsieur, à l'Aquarelle. Le pingouin était saoul comme un pingouin polonais, la gueule comme un brise-glace. Il alla s'en confesser à la colonne, au beau milieu de la place, seul avec lui-même, seul parmi le cirque des autres.

Henri était, à son insu, devenu l'arbitre entre la chèvre et le pingouin. Il était mûr pour la mi-temps. Le pingouin baignait mélancoliquement son œil dans une mer d'amours floues et la chèvre était partie comme un rêve de bonheur compliqué. Un Nègre donna la main à tout le monde pour se faire accepter un moment. Henri se frotta les yeux de fatigue. Brume prunellée. Henri se dégagea de l'emprise des sens. «Qu'est-ce que c'est qu'ce cinéma?» maugréa l'Yvette patronne, en jappant en direction du chien. Le Nègre, si familier tout à l'heure, était devenu nostalgique et regardait nulle part. La chèvre jappa. «Ça va! Ta gueule!» grinça la clientèle, en glanant des images, en échange de quelques francs de liquide. Les yeux dans l'eau. Le pingouin agita un peu le bout des ailes... et rêva d'espaces à survoler.

Henri tentait d'arrêter d'écrire comme on tente d'arrêter de fumer. «T'as pas essayé de t'attacher les mains? suggéra Achille... Pépé Caravallo brûlait bien ses livres dans son feu, parce qu'il ne voulait plus lire la matière de sa bibliothèque mais la consumer, à l'espagnole, dans une flamme de franquiste tordu...» Frédéric, comme à tous les soirs dans cet hôtel, était fatigué... non pas de s'être couché trop tard, mais de s'être levé trop tôt. «C'est là que doit intervenir la mesure d'urgence! dit simplement Achille.

— Il note tout, c'est un vampire!»

Ils terminèrent la bouteille de Bordeaux et se firent péter deux pétards, à la santé de la guenon inconnue.

Ils arrivèrent au Nazet, beurrés comme des toasts, sur lesquelles ne restait à mettre que de la déconfiture. Derniers moments avec Django sans cravate, ce soir... «C'est dur de s'y arracher!» saliva Henri. Son petit monde s'évaporait. Il ne restait, finalement, qu'une petite chèvre ratatinée et un pingouin gonflabe, enflé par les derniers milles, ainsi que du temps passé. Henri, repu, rassasié, n'avalait presque plus rien. Il avait sommeil. Un repos s'imposait. «Il n'est qu'un moment où ton repos sera complet et où tu seras enfin assagi! énonça le Temps.

— OK! OK! T'énerve pas... J'en prends que pour le prix qu'on m'donne!»

131. À TROIS PATTES

Berthe Lampron était une femme plutôt maussade, désagréable, austère et difficile d'approche... Quand le ton était donné, elle n'avait pas sa pareille pour faire chier la populace. Cependant, on l'aimait bien quand même, car elle avait le bonheur placé au mauvais endroit, à propos duquel chacun compatissait d'une certaine façon. Il suffisait de la connaître un peu pour s'apercevoir qu'elle était programmée à la façon d'une formule budgétaire. Son mari, Ubald Lampron, était plus commode. Il commençait à boire assez tôt le matin, vers onze heures, et à midi, il planait déjà assez bien... À minuit, il nageait à pleine queue pour se libérer des esprits malins qui l'entraînaient et, le lendemain matin, il flottait à nouveau sous un ciel typiquement parisien.

Un jour, Berthe, née Salvail, son épouse qui assurait le rendement, reçut la visite du garde-chasse. Celui-ci venait vérifier si, d'aventure, la chasse était bien gardée. Le mari aimait chasser le cerf, à cause des cornes, et le garde-chasse le savait bien. Lui et Ubald Lampron se rencontraient souvent à «La Chope des Compagnons» pour trinquer en chantant volontiers: «Nous voulons un horaire! Nous voulons un horaire dondidondaine...» Lampron se laissait un peu aller sur le tard et prenait du poids, au contraire du garde-chasse qui, lui, se maintenait en forme... Henri posa son stylo.

Ubald Laliberté était un super-rocker tout de cuir vêtu. Son épouse, Berthe, dansait nue. Ils avaient une fille de dix-huit ans, du nom d'Annabelle, belle comme un avant-midi. On racontait dans le pays qu'elle était effectivement la fille illégitime d'Hector, le garde-chasse. Elle avait d'ailleurs des pommettes saillantes et vinifiées, comme lui, ainsi qu'un teint de lait frais. Elle travaillait, par hasard, chez la crémière dont elle aurait bien pu être la fille, étant donné les liens qui unissaient cette femme au garde-chasse, dont Annabelle était la proie facile. Ubald avait bien, à l'époque, tenté de changer son nom...

«Non! Non! Ça ne va pas!» se dit Henri en lançant son stylo, pendant que les noires silhouettes des buildings s'agrippaient au bleu foncé du ciel de 17h30, en chantant: «À Saint-Germain, on l'aimait bien l'joli Gaston...» Henri avait-il vidé son gros sac brun de Père Noël? Il vit passer une naine vietnamienne devant lui et reprit son stylo, une fois de plus...

Peut-être son nom était-il Berthe? Ça hurlait dehors. Le grand cri de l'exil involontaire en transit. Henri savait qu'il devait utiliser tout ce qui passe car la folle occasion d'écrire sur le temps qui flâne ne se reproduirait peut-être plus jamais.

«Et dire que je suis au mal de cœur de l'aventure!» aurait pu ajouter Ulysse Lampron. Au loin, derrière la montagne et l'océan, sa femme Berthe-la-vaillante brassait la soupe-aux-grillons. Une fifille passa sur le bout des pieds, rue Dauphine, un sourire sous le nez.

132. EN MARCHE ARRIÈRE

Réginald Malebranche était noir et trichait à l'école. Ubald Lampron jouait dans un groupe rock vachement hard. Henri n'était pas là en tant que touriste-à-musées, expositions et monuments, mais simplement pour se laisser aller, balancer et vivre parmi les gens. Il était tel un bloc-notes ambulant dans un champ de patates. «Un carnet, c'est un sandwich aux mots!» expliquait-il à quiconque se renseignait sur sa gastronomie culturelle, dans les bistros. L'oiseau de nuit se muait lentement en oiseau de jour, en oiseau d'acier.

«Le P.Q. perdait le pouvoir et nous, nous buvions de la belle bière dans la cour de la rue Pergolèse, en fumant des pétards... Tu vois comme on n'a pas de cœur?» répondit Ubald à quelqu'un qui s'enquérait de sa position ou son opposition.

«Le québécois pourrait, en tant que langue en raccourci, donner à la francophonie tout son sens direct, sans jabots, ni dentelles... mais encore faudrait-il le percevoir en tant que richesse et non en tant que pauvreté. De toute façon, à distance, c'est là qu'on y voit le plus clair!» exhuma encore Ubald, à la lumière de sa mort en veilleuse.

Une vieille, lente comme une tortue à deux pattes, traversa la rue de Rivoli, au feu rouge. «P't'être qu'on est pressé à c't'âge-là? estima-t-il.

— P't'être qu'on est aveugle à c't'âge-là?» suggéra la situation.

«Tout dépend de qui est acteur ou spectateur», expliqua Henri à une jeune femme rondelette qui lui demandait s'il ressentait le besoin de se reposer les méninges en allant au cinéma et à qui Henri avait préalablement répondu que, suivant son état d'esprit actuel, le cinéma réel se passait tout autour de lui et qu'il n'avait qu'à bien ouvrir les yeux et les oreilles... C'est tout un art de travailler à ne rien faire! No obligation! No program! Que l'écoute du temps des autres, à travers le sien. Il fallait crucifier, une fois pour toutes, ces instants de disponibilité indolente. Henri boucla la valise...

Les «loners» de fin de soirée se répandirent dans le bassin des bars de minuit et demi. À cheval sur «Billy Jean». Avoir du talent les dérangeait et ils le gaspillaient. Henri Rossy déploya ses gigantesques moustaches dans l'entrebâillement de la porte. «Un jour, vous me verrez... Un verre, vous ne me jouerez plus! régurgita-t-il. Je quitterai ce monde de réincarnés, comme un ongle fermé, sans retour et libéré de vos pièges.»

133. CONTE À REBOURS

Une grosse Esquimaude mangeait un cheeseburger, à pleines gencives, au O'Kitch de la rue Monsieur-le-Prince. La vie extraordinaire d'un honnête homme s'en serait sentie toute mâchouillée. Le parapluie se retourna à l'envers, avec ses gouttes dehors, happé par le vent contraire. L'assassin approchait et se faisait sentir. Desesperatly... Les garçons de café devenaient de cire et figeaient comme des dimanches bien institutionnalisés. Les bonnes manières portaient le col serré. Les gestes usuels se resserraient comme des pinces de robots. L'usinage des bars reflétait sa main-d'œuvre statique. Tout rutilait d'un mécanisme huilé, rodé et encavé. Le lavabo serait aussi bien astiqué demain, qu'après demain. «La beauté se fane», disait l'affiche.

Henri n'en finissait plus de refuser de mourir. Et pourtant, le conte à rebours était bel et bien commencé. Mr Hyde tentait tout naturellement de revenir vers son Dr. Jeckyll mais l'épisode le poussait irrémédiablement vers l'avant, comme dans l'autobus. «Avancez par en arrière!!!»

Une grosse Gauloise se consumait piégée sous la rouquine moustache de Bill Ballantine. Bob Morane ondulait ses épaules de cuir, «setllé» comme n'importe quel héros français incognito. «Je t'ai dit mille fois de ne pas m'appeller commandant, en public!»

Et hop! une «33» Record... Eux aussi se retrouvaient englobés entre deux couvertures. Dépassant entre les pages, on pouvait voir leurs mains, leurs blousons et leurs moustaches... La dégueulasserie même était impeccable, et le balai s'activait, implacable. Les murs gardaient toujours leurs mêmes têtes encadrées, comme des miroirs. «Assez rigolé pour aujourd'hui!» avisa le balayeur, pesant d'or, sous son balai. L'assassinat tirait à sa fin et la cassette se rembobinait. Les têtes en prenaient tout un coup. La guillotine leur coupa l'inspiration.

*

En 1794, alors que volaient les chefs, Menton leva le menton et cria: «Ça révolutionne. La tête me tourne...

— Prends garde à Robesbière, citoyen! Il n'aime pas les têtes folles et légères. Serre-toi un peu la cravate! Le peuple a soif! Les gorges sont sèches!»

Gorge Menton avait définitivement un nom prédestiné... à la limite.

134. CHASSE D'EAU

Il se détachait, enlevait ses taches. Il savait que lorsqu'il partirait et pendant qu'il serait parti, certains couples d'amoureux se formeraient, se déformeraient et se reformeraient, trouveraient encore, loin de s'incruster, le moyen de divorcer de leurs amours et de se mouvoir vers l'immuable sort humain. Le beau fixe n'existait pas. L'inévitable café y veillait... «Aujourd'hui, on sait même plus élever les chiens!» Gros-Grain aimait bien ramoner sa vieille cheminée, ça le soulageait...

Le café-restaurant Commerce était vaste et chaleureux, très éclairé, presque familial. On y servait du civet de chevreuil en un tour de main, avec une courtoisie simple et avenante. La cuvée du patron coulait plutôt bien dans le gosier de l'honnête chasseur solitaire assoiffé. Le chevreuil, d'un goût prononcé, baignait dans une sauce au vin en compagnie de deux patates persillées... La bordure verte et blanche de l'assiette encercla le tout d'une rondeur rassurante. Le jus brun et épais, qui s'y prélassait, donnait à la chose un look vachement bayou, tu vois? On imaginait volontiers un chevreuil se vautrant aux abords d'une mare de vin noir, près d'un rocher en pommes de terre. Les chiens du restaurant en étaient tout excités, avec l'écume aux babines, alors que des récifs de champignons bombaient leur épiderme luisant sous les néons, en faisant le gros dos. L'engloutissement se fit et bientôt le chevreuil ne fut plus qu'une carcasse. Une cascade de rouge éclaboussa un verre et alla colorer un esprit, en passant par un gosier. Veillée du chasseur solitaire dans sa cache. Gibier dans sa crèche... Un brouillard tiède remorqua le marécage. Le rouge débordait.

«Bon! moi j'vais aller m'coucher. J'en ai marre!» dit un roseau avoisinant, écharpe au cou à cause du vent.

La chasse était plate, le chevreuil étant déjà presque digéré... Un calvados acheva le travail, avec une sournoiserie de Ku-Klux-Klan. «C'est pas la jungle tous les soirs! Quelquefois, la chasse ne vaut pas le coup...»

«Ça vaut c'que ça vaut! comme n'importe quoi... continua Radio-Montmartre.

— Les amoureux morts avaient aussi des projets, tu sais?

— So fucken what?» répondit la radio...

Poulet-Chasseur prit un gobelet d'eau pour la route, et tira la chasse. Écho du cor...

135. EN RÉSUMÉ

Une galaxie extraordinaire illuminait le terrain. Les tables en faux bois miroitaient leur vanité, en se prenant presque pour des vraies. Le garde-chasse revint avec une pomme. Adam Lampron coupa la pomme en deux, en plein cœur, en riant du malheur des autres. Sur la patère, il n'y avait aucun serpent... En fait, il n'y avait rien. Berthe avait déserté le quartier depuis belle lurette, étrangère à ses amours d'antan. Un café arriva, petit et speedé. Quelques plantes se penchèrent en avant, en regardant au hasard. Les insectes de la nuit retentirent de leur insoutenable clameur sourde, celle qui empêche le diable de dormir.

L'eau se changea en vin... Retour d'un climat embryonnaire. Bain fœtal. L'homme pétillant d'étoiles tassa l'air de ses larges épaules, en n'attendant plus rien de personne, mais tout de quelqu'un... La vie d'un homme est si bête qu'elle remonte toujours à la surface...

Distance flottante entre les jarrets de son enfance, au milieu du défoulement de ses adolescentes rotules. Motivation manquante. De s'être trop forcé la tête, il en avait mal. Saint-Michel accueillit une madame grise à manteau noir qui se squeeza les paupières en entrant. Les perroquets de l'Amérique-en-gouttière s'en faisaient péter le larynx de répétitions imbéciles. «Aux enterrements, à la messe, on glapit: je vais revoir mon créateur... Quand j'entends ça, je vois tout de suite des cheminées en granit. Ça me ramène en arrière. Que les quatre coins du ciel s'entrouvent, cria Henri, et que Jésus tombe dans la marde!»

Les gens lumineux se sentent profonds et se croisent toujours. Faut avoir la main verte avec la plante des pieds et bien l'arroser, en prenant garde qu'elle ne pousse trop en orgueil... Il faut lui couper la tête. «Ne pas se souvenir du moment où l'on a été fou pour ne pas regretter de ne plus l'être.»

«Y a des jours où je me dis: ça va pas! J'pourrais pas être comme tout le monde! Je suis carrément à côté...» pensa Ursus, avec des boules dans la gorge, des larmes dans la voix et de la rage au cœur de voir sa tribu se laisser ainsi mourir de douce noyade dans une sécurisante imbécillité en sauce. Rock'n'rollement funéraire, le grand pachyderme patriarcal lâcha son cri d'existence et de survie: «NON!!! gang de colons! Ne mourez pas si bêtement! Vous, qui avez su supporter le froid, traverser les hivers, résister d'arrache-pied au joug des jours... Ne mourez pas d'indolence, ciboère! N'ayez pas tout fait ça pour rien! Gros colons intestinaux...» Le métier de fou, c'est pas toi qui le choisis, en fait, c'est lui qui te choisit... Baluchon sans patron. Liberté par rapport aux conventions et à la mode. Bohème instinctive retransmise à travers les pores des siècles, face au restant du troupeau (suivant le mouvement des marées).

La fille blonde française retenait son chien, de dos, pour qu'il ne mange pas la bouchée de pain lancée à son intention, par le cuisinier italo-algérien. «Ils tombent tous toujours sur le dos d'un plus foncé qu'eux!» constata Ursus, en évoquant la couleur frisée du cabot. Il dégueula dans le berceau des civilisations, et arrosa Jésus dans sa crèche. «On devrait avoir une paye en venant au monde!» aurait déclaré Gros-Grain, en endurant la testiculation des gosses des autres. Les maudits enfants qui courraient partout (ça court mieux avec deux r) en mettant les briquets dans le jus d'orange, le jus d'orange dans le verre de scotch et le scotch dans les haut-parleurs... «Maudite progéniture tenue sous cloche, à l'écart des écarts! Maudite race de brise-fer! Bébés éprouvettes! Y vous fendront l'cœur, viârge!»

Il est curieux de croire qu'il était lui-même un ancien enfant... Au sortir de l'enfance, on est déjà un assassin. C'est la poigne! cette poigne qui, l'inspecteur Épingle en était assuré, n'allait pas tarder à décrire les cercles vicieux les plus attendus depuis le début de son ascension dans l'escalier central de nos histoires... ascension qui correspondait, assez subconsciemment d'ailleurs, à celle de la main de monsieur Racette. La main s'en fut vers le ciel, en effleurant Sainte-Marguerite (en effeuillant?) au passage, et se concentra davantage. Sainte-Marguerite gazouilla et la main saoule continua son voyage, aux pays des rêves effrontés... Cette main décrit vraiment n'importe quoi! Libre au lecteur de penser ce qu'il veut... N'empêche qu'il a eu droit à une brève apparition de l'inspecteur Épingle... et c'est déjà sympathique! non?

Qu'est-ce qu'on dit?
Qu'est-ce qu'on dit?
On dit: «Bonjour monsieur l'inspecteur!
Au revoir monsieur l'inspecteur...»

... et on dit: «Merci, monsieur Séville!»
(Tout le monde au conte gouttes suivant, s.v.p.)

136. LE TEMPS D'UN GRAND OUF!

Le Temps se brûlait jusqu'à la dernière seconde en refaisant son séjour à l'envers et en le revoyant passer devant lui. Son cours défilait à rebrousse-poil. Il régressait vers l'embryon. Bientôt il se concrétiserait, en revenant au monde. Il verrait ses outils quotidiens devenir objets du passé. Pas d'horaire! Retraite. Le Temps savait qu'il ne traînerait plus de carnet dans sa poche revolver et qu'il ne dégainerait plus en fou, à chaque seconde. Il rendait les armes en quelque sorte. Le Temps flyait dans les couloirs, en suivant son œil. Comme un futur noyé qui regarde par en arrière, en se noyant vers l'avant, en voyant à travers sa feuille de route. Un stylo nerveux lui courait après, avec un masque de feuilles blanches, et le Temps tentait de sauter la barrière. Le mur du mon. Le mur à Gustave. Le conte gouttes se vidait à la vitesse des derniers verres, pour la route. Bientôt il serait vide de liquide et plein d'air. Le Temps tapa des talons au beau milieu de la Place de la République, remplie de passants. Il fit une brève halte à la Brasserie des Syndicats de la rue du Château-d'eau, afin de boire ce qui s'y baignait. Les buveurs syndiqués ne calculaient pas leur temps et il put s'installer tranquillement parmi eux. Le Temps prit le temps d'une Carlsberg et l'avala à petites gorgées, pour se desserrer un peu les tempes, car bientôt le Temps des Fêtes serait là aussi, pour faire avaler au monde ses cochonneries, ses tourtières et ses cadeaux. Il demanda une autre Carlsberg et... Fuck off! Le Temps avait d'autres choses à faire que de vouloir gagner sur lui-même, il allait se perdre encore un peu plus. D'ailleurs, qu'avait-il à comprendre au Temps? On le prenait quand il passait, là où il était, live, sur le vif, mais on ne l'arrêtait pas... Sinon, le Temps n'aimait pas tellement les répétitions. Il trouvait ça long et chiant. Mais, en général, le Temps savait à peu près où il allait et savait aussi que rien ne servait de courir après lui-même, s'il venait à perdre son âme... Que chaque chose non perçue immédiatement a souvent un rebondissement postérieur. Une chaleur inhérente lui monta à la tête. Était-ce déjà le Temps chaud? Il pleuvait... Le Temps coula sous terre, cerné par des murs de pluie. Quel thème s'imposerait à lui?

Le Temps s'écoula à travers un stylo. Le poète fou ne revenait plus que rarement rue Antoine-Dubois et il cessa aussitôt de pleuvoir. Le Temps parlait tout seul, en marchant. Il s'arracha la tête. Des amoureux en profitèrent pour s'embrasser au coin de la rue Soufflot. Enfin! un peu de classe dans la poésie!

«Ça va? demanda le garçon-boucher.

— ... À la course! lâcha le Temps.

— CHA VA! CHA VA! cria un Auvergnat qui buvait là. Tout est bon, dépendant de comment on le reçoit!

— Ce qu'il y a de merveilleux dans les gens, c'est quand on ne les connaît pas tout à fait! relança l'écho.

— Chez nous, quand on ne fume pas le calumet de paix, on déterre la hache de guerre!»

Le fou de l'Antoine-Dubois, qui était revenu sur son éternel tremplin, demanda alors sèchement, en faisant un bond en direction du Temps: «Vous vous intéressez à la poésie?

— Le soir, non!... Le matin seulement!» répondit le Temps.

Le fou aurait mieux fait de soupirer: «Alors! Tu montes, chéri?» étant donné l'heure où le Temps passa. Celui-ci aurait pu s'incorporer dans le berceau des civilisations, mettre Jésus dans sa crèche.

Odéon-accordéon s'avéra être fortuitement le lieu de la dernière rencontre entre le Temps et Henri. Ils y firent un joyeux brin de conversation, à la muette, en s'étirant les moustaches. Henri avait mal aux pieds et le signifia au Temps, qui prit des notes. Des Américaines envahirent le café, en faisant YAK! YAK! YAK! Henri laissa le Temps payer, enfourcha ses moustaches et disparut, sans dire bonsoir. Son témoignage rassura le Temps qui se ressaisit et enfila une bière de plus, en se laissant aller le long du racontoir. Derrière, le son des assiettes qui trinquaient ensemble, en sortant du lavabo, incitait les clients à la débauche, à leur insu évidemment... Le Temps s'en souvint un instant, l'oubli étant une des grandes qualités de sa mémoire. Un rock'n'roll saucé fouetta le juke-box. Le Temps s'y laissa prendre. Il fit quelques bonds charnus et retomba dans son assiette, en laissant cinquante-cinq centimes de pourboire. Il était 23h15. Il était temps! Le Temps était parti ben raide. Le Temps était imprudent. Dans le fond, il avait tout son temps. C'était un sournois, un flyé qui avait du temps à gauche. Un Temps partiel, plein comme un œuf! Un poussin. Il vida son verre et sortit vers nulle part et partout à la fois... Un gars flatta le dos de son chien. «CROUNCH! CROUNCH! FLAP! FLAP!» fit le vin blanc sur le palais du Temps... «Il n'y a plus d'heure maintenant!» dit-il. Ils arrivèrent au Nazet, en se tenant par la tête...

Les flics tapèrent dur, au coin de la rue et embarquèrent trois gars. Le Temps sortit dehors pour contempler le charmant tableau. «Trop de promiscuité dans ce bled! pensa-t-il. Quelle bouillabaisse!»

Le Temps volait des mots à tout le monde, pour s'en faire des chansons. Vie active d'auto-défense.

«Ce qui est intéressant, c'est d'arriver à cette limite. La jeunesse... Elle passe si vite et elle ne revient pas!» goba le Temps. Il ne sortait, pour ainsi dire, plus de sa coquille. Le poussin intérieur en avait des bosses sur le crâne à force de pousser sur le mur à Gustave. Et le Temps s'appuyait dessus, éponge fermée au monde extérieur. Alourdi dans le liquide, libéré de son air sec. Que dire des personnages qui le meublent? Sont-ils les fruits de son délirium? «Ils m'empoisonnent l'existence et je les aime bien. Je tombe vers eux dans mon vertige.»

Le Temps est un irresponsable labyrinthe. Il est toujours attaché à quelqu'un, par en dedans... L'économie entraîne tout le reste!

«Trop tôt on a vu se faner les précoces, réfléchissait-il. Les plus grands élans ont des fins tragiques!»

Le déclin était chose commune pour lui.

Temps foutu.

137. CHALEUREUX DÉPART

Les clochards s'emmitouflaient dans le papier journal, rouleaux impériaux farcis de bonnes et de mauvaises nouvelles, abrillées de saisons et trouées d'insomnies. L'esprit étant trop rongé, la coquille craqua, la tête éclata et le jus sortit. L'ascenseur était aussi lent que le projecteur mais le temps passait plus vite...

Les gens se rencontraient un jour, s'entrechoquaient et brûlaient du même feu pendant de brefs instants... Après, il valait mieux, peut-être, que ce soit fini, pour que le souvenir n'en soit pas trop tari.

Le répondeur sortit, le premier, en emportant ses messages, ses utilités et ses contraintes. Il jeta un dernier coup d'œil à Perfidia la plante, qu'il avait appris à connaître un peu, par cohabitation, et réintégra sa boîte... comme Saint-Robert. Une clocharde en profita pour se maquiller précieusement dans l'escalier du métro Luxembourg tandis que son époux l'attendait sur un banc, en compagnie d'un petit chat. Le tableau était si émouvant qu'une vieille folle, qui passait par là, sortit des sous et les offrit au chaton. Elle repartit aussitôt, en courant dans le trafic, pour aller y repêcher un chien égaré sous un autobus.

Le 876e suicidé de la tour Eiffel rata son coup, tomba dans un auvent, ruinant à jamais sa carrière... Les autres, eux, réussissaient leur performance. Leur corps tombant venait s'éclabousser sur les poutrelles en laissant là leur ossature tandis que les entrailles continuaient leur parcours par les trous, comme un feu d'artifice de tripes. Dernier cri... ble!!!

L'incinérateur de cadavres du Père-Lachaise, pour sa part, dévoila ses secrets aux touristes. Il utilisa pour eux son grand fourneau, lequel provoquait l'illumination suprême et, anatomiquement, il fit l'inventaire de la cendre d'os au creux de sa main, en la tendant, par la suite, pour demander cinq francs.

Un gars cria, en réveillant tout le quartier: «Patricia, mes clés!

— Les Parisiens sont décidément moins forts que leurs bruits! fit remarquer l'incinérateur.

— Je vais me faire tuer! ameuta le gars avant de rentrer chez lui.

— T'es déjà mort!» lui rappela sa femme, en faisant signe à l'incinérateur de se tenir au chaud. «Fais du feu dans la cheminée, je reviens chez nous...»

«Ce n'est pas nous qui buvons le vin, c'est lui qui nous boit... à heures fixes. La clandestinité n'existe plus! Il faut apprendre à boire debout cul et chaise!» La loi du 9 juillet 1881 donnait aux poètes de la rue Antoine-Dubois le droit de parler aux murs. Les cerveaux brûlés ne peuvent même plus servir aux incinérateurs. «Et n'oubliez surtout pas que la fumée qui sort au bout de la grande cheminée du ciel, n'est rien d'autre que le nuage de vos poésies!» fit encore remarquer l'incinérateur, avant le départ. Le Temps mourut à petit feu. «À quoi ça sert de grandir?» hurla un fœtus dans un plat de chop-suey débordant, quelque part, à Lavaltrie. Une seule goutte d'Archange avait suffit et la Marie s'était retrouvée avec un globe terrestre tout rond à supporter, commandité par la bière Atlas. «Toutes de futures grosses!»

On mit le Temps dans sa bière. Deux amoureux passèrent en se tenant à huit bras et en se traînant les pieds. Une jeune fille affolée appuya sur l'accélérateur. Le fou de la Dubois frappait encore sa tête contre le mur des lamentations.

«Vous vous intéressez à la poésie?» Les cloches sonnèrent. Sonna le glas. Le Temps, le précieux, le fou, l'instable, etc., ne se souvenait plus de ce qu'il avait été et ce qu'il avait fait la veille. Il était devenu un Belge barbu assis au Nazet depuis quatre siècles. Une baguette de pain passa, avec un foulard et de grands souliers bruns.

Les châteaux se regardaient et le berceau des civilisations bascula un peu. Antoine reprit son chemin habituel, entre les murs de sa double vie. Murs à???

On savait que ça pullulait dans sa tête, mais que ses mirages étaient encore plus beaux du fait qu'il les quittait un peu plus chaque jour. C'était le dernier cri des yeux qui poussait l'Antoine à s'imprégner de la sorte, au fond du conte gouttes montagneux. C'était le salut final... Métro Invalides. «Partez!» dit l'horloge parlante...

Les bagages réintégrèrent leurs trousses, valises bouclées et visions laissées derrière... L'intérieur de la piaule, rue Legoff, se vida de ses présences et la coquille fut prête à passer à d'autres mains, pour être nettoyée. Henri et Ubald se séparèrent, comme deux gales siamoises. Comme deux larmes d'un vieux couple, chacun reprit son chemin opposé. Les spectateurs sortirent à reculons, en sentant venir la queue de cochon. Grand loop final, dernières gouttes du conte, sous une douche d'émotions fortes... «Allons vignerons! Buvons le vin nouveau!» Ils regardèrent autour pour voir s'ils n'oubliaient rien, s'ils n'avaient pas égaré leurs esprits... C'était vraiment n'importe quoi!

«T'as fini d'embrasser tout l'monde?» demanda un vieux clochard.

138. COLLAGES ET DÉCOLLAGE

Parmentier, barbu comme une tubercule, dormait sur un banc de sa station de métro, en ignorant les wagons qui passaient comme des vaches, pleines de prés. Sans attache, exception faite de la bouteille de rouge qui l'attendait sous les bancs, il ronflait comme une cuve... «Si j'ai un conseil à me donner, c'est de ne pas suivre mon exemple...» rêvait-il tout bas.

«La vie est courte, énonça le Temps... mais alors! quelles longueurs!» Il prit sa dernière nuit et un chien hurla de stupeur, en regardant les vendeurs de pommes geler derrière leurs étagères, les mains aussi bleues que leurs costumes. Travail au noir en bleu de travail. Blues de Nègre frosté. Antoine n'écrirait qu'un seul livre: le livre fou... et il n'écrirait plus. «Incinérons-nous ensemble!» Une grande trace de marde de chien jaune fit encore quelques pas avant de s'effacer froidement.

À ras l'bol! «Fais du feu dans l'incinérateur, je reviens chez nous. Et réchauffe la crèche!»

La tête penchée sur la poignée de métal du wagon, un gars désarmait de fatigue.

139. DERNIÈRE ESCALE

Madame Pipi n'était pas de très bonne humeur dans les toilettes de l'aéroport d'Orly. C'était un vendredi 13 et le plafond était plutôt bas. Il y avait plein de brouillard et il était loin d'être sûr que même l'avion pour Brest puisse se poser. Une Bretonne riait nerveusement en faisant le bilan annuel des tragédies aériennes. «Incidents techniques», annonça-t-on.

Paranoïa du vendredi 13, en plus. «Dans quelques heures, ils vont mourir...» pouvait-on lire en première page du *Parisien*, en ce jour de l'anniversaire de Sainte-Lucie, qui fut brûlée à l'huile puis égorgée après avoir été placée en stage dans un lupanar sicilien au IVe siècle. La brume encoconna l'avion qui sautilla à toute vitesse sur la piste mouillée. Tout se passa bien...

Le Temps était pleurnichard. Le brouillard atteignit son maximum et la fin s'étira dans une lassitude frénétique. Un bébé pleura en devinant la face du monde. Le Temps s'agenouilla. La vie et la mort se frôlaient. Laborieusement. Le Temps muait, crevé dans sa loge. Il prit un «punch» pour se relever un peu, en se demandant ce qu'il faisait là, en équilibre instable entre les tensions agricoles bretonnes. Le Saint-Autre réintégra la coquille de son avion, dégrisa petit à petit, vidé de tous et de tout... dérêvant. Il retrouva, goutte à goutte, son je primaire aux contours fugaces, pour aller combattre l'hiver...

J'atterrirai à Mirabel... Comme d'habitude, les douaniers me diront de me tasser à gauche, pour m'ausculter... Les copains m'attendront, à l'arrivée, pour aller boire un coup, afin de pouvoir renouer avec le joug des tavernes montréalaises, la mongolie-à-tuque, les faces laides, le mal des corvettes, l'avachie bièreuse, la désespérance consommatrice, l'avilissement statique, le beau fun sain... Autant de visions qui représentent trop, peut-être, tout le ghetto culturel dont je voudrais fuir la morbide évolution et détacher l'âme qui m'y rattache. La différence est dans le quotidien actif de la goutte qui bouge et l'asservissement stagnant de la goutte qui coagule et qui meurt. Debout au zinc ou assis à la taverne... Cependant, voilà que je rencontre dans l'avion une jolie Alsacienne de Victoriaville qui revient visiter ses parents, au pays rude, en compagnie de sa fille de huit ans. Bouteilles de vin et film aidant, je lui propose de jouer au petit couple avec moi, pour m'aider à passer la douane... Les bouteilles de vin passent la frontière, sans problème, en compagnie de l'héroïne et de sa fille. Goutte qui bouge pour réapprendre à combler le vide intense de la dépression atmosphérique. Limbes et hockey.

140. POINT DE DÉPART

Pas hospitalier pour deux sous dans la réciprocité, Archange redescendit sur terre, par transmission de pensée, à la même table de la taverne «Verres stérilisés» d'où il était parti. Avait-il rêvé tout cela? Les waiters, tels les anges dans nos campagnes, lui entonnèrent tous un: «Trois mois, c'est pas long!

— Deux dollars, qualante cinq... melci bien!» résonna l'écho familier de monsieur Dhin, le joyeux dépanneur, comme une clochette de Noël.

«Here I come avec mon titamour tout croche, mon amour!» Petit papa Nouël is back, de retour au foyer, comme une bûche dans la cheminée...

«Et voici, messieurs, dames... Le petit Jésus Marsan qui rebondit dans les lumières de Noël, après neuf mois de crèche intensive!!!»

«Le v'là, le p'tit christ!» s'exclama le waiter en prière, à pieds joints dans la neige, en tentant de réajuster sa perspective et d'exorciser une vie intérieure abjecte au profit d'une autre, plus intéressante, au retour d'un an nouveau... Imperceptiblement à jeûn, délibérément purifié, lubrifié et prisonnier sur parole... Presque printanier! Résolutionné.

Et maintenant que ceci, toute cette histoire que j'ai peut-être rêvée, assis sur mon cul à cette table éternelle où je meurs doucement, chaque jour, dans cette taverne ennuyante, aux mille épaves, maintenant que cette histoire est supposée avoir contribué à me laver de mes angoisses et celles des personnages incrustés dans mes bulles, vais-je enfin me décider à aborder le détour qui s'annonce avec un optimisme résultant? Est-il bien vrai que «leur», en tant que possessif, est pluriel en soi et ne prend jamais de «s»?

«Essayez pas d'me faire fâcher, chus trop d'bonne humeur pour ça! À part ça, monsieur Séville?» chantonne la waitress du snack-bar Lamarque, sans même oser penser se plaindre de son sort, sachant d'instinct qu'elle a encore sa santé, ses deux bras et ses deux jambes tandis qu'il y en a tellement d'autres, moins chanceux qu'elle, qui ont des craques dans le plafond.

«C'est quoi comme dessert?

— D'la pudding au riz pis du Jello! Tiens, monsieur Jésus... c'est l'hiver qui vous ramène?» clame l'autre waitress en voyant Jésus entrer et s'installer devant un napperon «Père Noël».

J'ai déjà vu cette tête là quelque part! se dit Jésus en répondant: «Je suis fidèle aux traditions, madame!»

Sous les flocons, sur le Plateau, des moineaux mangent du pain sec égrainé, en sautillant dans la neige... Concierge précautionneux et régisseur, Ubald fait le ménage et balaye la scène. De toute façon, c'est tout ce qu'il sait faire, car pour ce qui est du reste, il est devenu, depuis très longtemps d'ailleurs, un de ces types à l'âme démunie parce que s'étant toujours fié à quelqu'un d'autre. Peut-être Jésus, un jour, lui fera-t-il signe? et Ubald dira: «Voici encore Jésus qui vient faire une enfantine grimace au monde!»

De toute façon, on n'est pas là pour se demander, dans le cas d'Ubald par exemple, à qui c'est la faute. Qui a dénoncé quoi? Henri, lui, ne démord pas: il veut un jour écrire des contes, des romans, des scénarii, mais, pour commencer, il devait d'abord faire des essais en se donnant ce décor de base: le je, duquel on extirpe des îles qui flottent dans un court-bouillon de bière et de vin... C'est sûr qu'il y perd beaucoup de temps à tourner en rond avec son stylo, sans parvenir à écrire grand-chose, mais c'est pas grave! À la fin, je suis convaincu que, s'étant débarrassé d'un surplus de confusion par rapport à son style, il sera mûr pour quelque chose de solide. Qu'il n'oublie jamais, cependant, que c'est là un métier plein de solitude... «L'écrivain est seul comme un néo-millionnaire renfermé!» disait Lancaster Blake...

Quant à moi, Séville Saint-Je, votre serviteur, je sais maintenant que je ne serai jamais de cette race des tourmentés de l'écriture. Je trouve la vie assez compliquée comme ça pour ne pas me casser la tête plus longtemps. Comme disait l'autre: «Les idées géniales de la veille ont souvent l'air moche, le lendemain...» et je conseillerais même à Henri de ne pas utiliser son vrai nom pour se dissimuler derrière ses impertinences écrites. En foie de quoi, j'appose ici le mot:

SOIF

... et la page est tournée.

«Il burent heureux et burent beaucoup d'enfants.»

Épilogue

LETTRE DE DUBOIS L'ANTOINE À SÉVILLE SAINT-JE

Cher Séville,

Pourquoi l'huître se referme-t-elle quand elle se retrouve dans son élément naturel?

Fragrance quotidienne trop prononcée?
Frustration du non-dépaysement?
Durcissement de la pétoncle?
Raideur soudaine de la nuque imaginative?
Sauvage serrement de gosses?
Besoin casanier du subconscient?
Claustrophobie boulimique chronique?
Autodéfense abusive psychosomatique?
Instinct maladif de protection intime, égocentrique?
Désépanouissement et retour en arrière?
Problème de combativité résidente?
Satiété vis-à-vis du bain social?
Avarice de sentiments relationnels?
Ou farouche besoin de distance?

Ô fragile et narcissique escogriffe, vulnérable perle coincée dans l'huître plate... Je, reflet du monde noué intérieurement, aux yeux fuyants...

Enfin! les autres sont les facettes de ce que tu auras appris, Séville: tout ça ne sert à rien et tu n'y es pour rien.

Amitiés toutes croches,
Dubois l'Antoine, poète quotidien

N.B. Cet amoncellement de lubies a été rédigé sans l'aide d'aucune boisson, par un fichu menteur...

S.S.J. «Verres stérilisés»,
février 1986

De gauche à droite: Ursus, Poulet-Chasseur,
Icare Landreville, Firpo, Monsieur Racette et Maurice.

Saint-Guy.

Ubald.

Saint-Daniel parmi les anges.

Jésus.

Henri.

Séville Saint-Je, l'auteur.

CET OUVRAGE
COMPOSÉ EN SOUVENIR CORPS 12 SUR 14
A ÉTÉ ACHEVÉ D'IMPRIMER
LE NEUF FÉVRIER
MIL NEUF CENT QUATRE-VINGT-SEPT
PAR LES TRAVAILLEUSES ET TRAVAILLEURS
DES PRESSES DES ATELIERS GRAPHIQUES MARC VEILLEUX
À CAP-SAINT-IGNACE
POUR LE COMPTE DE
VLB ÉDITEUR.

IMPRIMÉ AU QUÉBEC (CANADA)